북한 핵 문제

총괄 4

북한 핵 문제

총괄 4

| 머리말

　1985년 북한은 소련의 요구로 핵확산금지조약(NPT)에 가입한다. 그러나 그로부터 4년 뒤, 60년대 소련이 영변에 조성한 북한의 비밀 핵 연구단지 사진이 공개된다. 냉전이 종속되어 가던 당시 북한은 이로 인한 여러 국제사회의 경고 및 외교 압력을 받았으며, 1990년 국제원자력기구(IAEA)는 북핵 문제에 대해 강력한 사찰을 추진한다. 북한은 영변 핵시설의 사찰 조건으로 남한 내 미군기지 사찰을 요구하는 등 여러 이유를 댔으나 결국 3차에 걸친 남북 핵협상과 남북핵통제공동위원회 합의 등을 통해 이를 수용하였고, 결국 1992년 안전조치협정에도 서명하겠다고 발표한다. 그러나 그로부터 1년 뒤 북한은 한미 합동훈련의 재개에 반대하며 IAEA의 특별사찰을 거부하고 NPT를 탈퇴한다. 이에 UN 안보리는 대북 제재를 실행하면서 1994년 제네바 합의 전까지 남북 관계는 극도로 경직되게 된다.

　본 총서는 외교부에서 작성하여 최근 공개한 1991~1992년 북한 핵 문제 관련 자료를 담고 있다. 북한의 핵안전조치협정의 체결 과정과 북한 핵시설 사찰 과정, 그와 관련된 미국의 동향과 일본, 러시아, 중국 등 우방국 협조와 관련한 자료까지 총 14권으로 구성되었다. 전체 분량은 약 7천여 쪽에 이른다.

2024년 3월
한국학술정보(주)

| 일러두기

· 본 총서에 실린 자료는 2022년 4월과 2023년 4월에 각각 공개한 외교문서 4,827권, 76만여 쪽 가운데 일부를 발췌한 것이다.

· 각 권의 제목과 순서는 공개된 원본을 최대한 반영하였으나, 주제에 따라 일부는 적절히 변경하였다.

· 원본 자료는 A4 판형에 맞게 축소하거나 원본 비율을 유지한 채 A4 페이지 안에 삽입하였다. 또한 현재 시점에선 공개되지 않아 '공란'이란 표기만 있는 페이지 역시 그대로 실었다.

· 외교부가 공개한 문서 각 권의 첫 페이지에는 '정리 보존 문서 목록'이란 이름으로 기록물 종류, 일자, 명칭, 간단한 내용 등의 정보가 수록되어 있으며, 이를 기준으로 0001번부터 번호가 매겨져 있다. 이는 삭제하지 않고 총서에 그대로 수록하였다.

· 보고서 내용에 관한 더 자세한 정보가 필요하다면, 외교부가 온라인상에 제공하는 『대한민국 외교사료요약집』 1991년과 1992년 자료를 참조할 수 있다.

| 차례

정 리 보 존 문 서 목 록					

정 리 보 존 문 서 목 록

기록물종류	일반공문서철	등록번호	32702	등록일자	2009-02-26
분류번호	726.61	국가코드		보존기간	영구
명 칭	북한 핵문제, 1992. 전13권				
생 산 과	북미1과/북미2과	생산년도	1992~1992	담당그룹	
권 차 명	V.11 10월				
내용목차	1. 10월 * 10.20-22 Libby, Lewis 미국 국방부 정책담당 부차관 방한 2. 한.미국.일본 차관급 정무협의(계획), 9월-11.5 * 북한 핵관련 대책, 한.미국간 협의, 미국의 사찰과정 참여 요구 등				

0001

1. 10월

0002

공   란

공　　　　　란

공   란

공   란

공   란

FOLLOWING IS TEXT OF THE <u>JOINT COMMUNIQUE</u> ISSUED AT THE CONCLUSION OF
THE AUSMIN TALKS ON 1 OCTOBER.

BEGINS

THE AUSTRALIAN MINISTER FOR FOREIGN AFFAIRS AND TRADE SENATOR GARETH
EVANS AND MINISTER FOR DEFENSE SENATOR ROBERT RAY, AND THE UNITED
STATES ACTING SECRETARY OF STATE LAWRENCE S. EAGLEBURGER AND UNDER
SECRETARY OF DEFENSE PAUL D. WOLFOWITZ MET ON OCTOBER 1, 1992 IN
WASHINGTON, D.C. TO DISCUSS GLOBAL, REGIONAL, AND BILATERAL ISSUES.
THE RAPID PACE AND DRAMATIC SCOPE OF POLITICAL AND ECONOMIC
DEVELOPMENTS ON THE INTERNATIONAL SCENE IN THIS PERIOD OF WORLD
HISTORY MADE THE CONSULTATIONS ESPECIALLY VALUABLE ON THIS OCCASION.

THESE TALKS CONTINUED THE TRADITION OF ANNUAL HIGH-LEVEL
CONSULTATIONS BETWEEN TWO CLOSE ALLIES. DISCUSSIONS FOCUSED BOTH
UPON THE SHARED INTERESTS OF THE ALLIANCE RELATIONSHIP AND
COOPERATIVE EFFORTS ON KEY INTERNATIONAL ARMS CONTROL AND CONFLICT
RESOLUTION ISSUES. THE UNITED STATES AND AUSTRALIA EXCHANGED VIEWS
ON OTHER NEW CHALLENGES EMERGING IN THE POST-COLD WAR ENVIRONMENT,
INCLUDING ISSUES RELATING TO THE WORLD ECONOMY AND INTERNATIONAL
TRADE, PARTICULARLY THE GATT URUGUAY ROUND. BOTH SIDES PLEDGED TO
CONTINUE CLOSE CONSU1TATIONS ON THESE KEY ISSUES.

DEFENSE AND SECURITY

AUSTRALIA EMPHASIZED ITS BELIEF THAT THE CONTINUED INVOLVEMENT OF
U.S. FORCES IN THE ASIA PACIFIC REGION HAS BEEN A POWERFUL
STABILIZING FORCE, SIGNIFICANTLY CONTRIBUTING TO THE REMARKABLE
GROWTH AND STABILITY ACHIEVED OVER RECENT DECADES. AUSTRALIA THUS
WELCOMED THE UNITED STATES' REAFFIRMATION OF ITS INTENTION TO
MAINTAIN ITS STRATEGIC ENGAGEMENT IN THE REGION THROUGH THE
MAINTENANCE OF EXISTING ALLIANCES, FORWARD DEPLOYED FORCES, AND NEW
ACCESS ARRANGEMENTS WITH HOST GOVERNMENTS.

THE UNITED STATES REITERATED ITS SUPPORT FOR BILATERAL SECURITY
ARRANGEMENTS WITH AUSTRALIA, JAPAN, THE REPUBLIC OF KOREA, THE
PHILIPPINES, AND THAILAND AS KEYSTONES OF REGIONAL SECURITY. IN THAT
REGARD, THE UNITED STATES AND AUSTRALIAN GOVERNMENTS REAFFIRMED THE
IMPORTANCE OF THEIR SECURITY COOPERATION UNDER THE ANZUS TREATY AND
THE NEED TO CONTINUE CLOSE CONSULTATIONS ON ISSUES OF MUTUAL SECURITY
CONCERN. BOTH GOVERNMENTS NOTED THAT THEYWOULD WELCOME THE RETURN OF
NEW ZEALAND TO ANZUS ON THE BASIS OF FULL ACCEPTANCE BY NEW ZEALAND
OF ITS OBLIGATIONS AND RESPONSIBILITIES UNDER THE ALLIANCE.

RECALLING THE SUCCESSFUL COMPLETION OF THE KANGAROO 92 JOINT MILITARY
EXERCISE, THE UNITED STATES AND AUSTRALIA PLEDGED TO CONTINUE EFFORTS
TO FOSTER MILITARY INTEROPERABILITY BETWEEN THEIR ARMED FORCES. THIS
WOULD BE PARTICULARLY IMPORTANT AS BOTH COUNTRIES STRUCTURED THEIR
FORCES TO MEET THE CHALLENGES OF THE 1990S, INCLUDING THROUGH
THE DEVELOPMENT AND USE OF ADVANCED TECHNOLOGY. AUSTRALIA OUTLINED
ITS PLANS FOR UPGRADING THE FACILITIES AT THE DELAMERE AIR WEAPONS
RANGE AND THE UNDERWATER TRACKING RANGE OFF PERTH AND REPEATED ITS
INVITATION TO THE UNITED STATES TO MAKE USE OF THESE FACILITIES IN
ITS OWN TRAINING AND EXERCISE PROGRAMS. AUSTRALIA AND THE UNITED
STATES REAFFIRMED THE IMPORTANCE THEY ATTACH TO THE JOINT DEFENSE
FACILITIES AND TO OTHER COOPERATIVE ARRANGEMENTS. THE UNITED STATES
AND AUSTRALIAN GOVERNMENTS WELCOMED THE TRANSFER THAT TOOK PLACE THAT

0008

DAY, OF HAROLD E. HOLT NAVAL COMMUNICATIONS STATION AT NORTH WEST CAPE, AUSTRALIA -- JOINT FACILITY -- FROM UNITED STATES TO AUSTRALIAN COMMAND.

TO COMPLEMENT THE CONTRIBUTION THAT THESE BILATERAL ARRANGEMENTS MAKE TO SECURITY IN ASIA AND THE PACIFIC, BOTH SIDES AGREE TO ENCOURAGE REGIONAL DISCUSSION ON SECURITY ISSUES. IN PARTICULAR, THEY WELCOME THE INCLUSION OF REGIONAL SECURITY DISCUSSIONS ON THE AGENDA OF THE ASEAN PMC AS AN EXAMPLE OF THE SORT OF INITIATIVE THAT CAN HELP BUILD TRUST, CONFIDENCE, AND COOPERATION.

THE UNITED STATES AND AUSTRALIA, WHILE NOTING SUBSTANTIAL PROGRESS ON MANY ASPECTS OF THE CAMBODIAN PEACE PROCESS, ESPECIALLY REPATRIATION AND ELECTORAL PREPARATIONS, EXPRESSED CONCERN OVER THE CONTINUED REFUSAL OF THE KHMER ROUGE TO JOIN THE CANTONMENT AND DEMOBILIZATION PHASE OF THE CAMBODIA PEACE AGREEMENT AND REITERATED THE IMPORTANCE BOTH PLACE ON THE ELECTIONS BEING HELD AS SCHEDULED IN APRIL/MAY 1993. BOTH GOVERNMENTS EXPRESSED SUPPORT FOR UNSC RESOLUTION 766 AND FOR UNSC CONSIDERATION OF FURTHER MEASURES SHOULD KHMER ROUGE INTRANSIGENCE CONTINUE.

THE UNITED STATES OUTLINED RECENT DEVELOPMENTS IN U.S.-VIETNAM RELATIONS, INCLUDING ON POW-MIA ISSUES. AUSTRALIA NOTED THESE RECENT DEVELOPMENTS AND EXPRESSED ITS HOPE THAT THERE WOULD EVENTUALLY BE A NORMALIZATION OF RELATIONS BETWEEN THE TWO COUNTRIES.

THE TWO SIDES WELCOMED THE RECENT PROGRESS IN THE DIALOGUE BETWEEN SOUTH AND NORTH KOREA, AND ESPECIALLY THE AGREEMENTS ON RECONCILIATION AND DENUCLEARIZATION OF THE KOREAN PENINSULA. HOWEVER, THEY REMAIN CONCERNED ABOUT THE NORTH KOREAN NUCLEAR PROGRAM AND NORTH KOREA'S CONTINUED EXPORT OF SCUD MISSILES AND RELATED TECHNOLOGY. THEY CALLED ON THE DPRK TO FINALIZE WITH SOUTH KOREA AN ARRANGEMENT FOR A CREDIBLE AND EFFECTIVE BILATERAL NUCLEAR INSPECTION REGIME, WHICH WOULD BE AN ESSENTIAL COMPLEMENT TO IAEA INSPECTIONS AND WOULD ENHANCE INTERNATIONAL CONFIDENCE THAT THE DPRK WAS FULFILLING ITS RESPONSIBILITIES UNDER BOTH THE NPT AND THE BILATERAL ACCORD.

AUSTRALIA AND THE UNITED STATES NOTED WITH CONCERN THE POTENTIAL THREAT OF BALLISTIC MISSILE PROLIFERATION AND EXPRESSED THEIR WILLINGNESS TO EXPLORE WITH EACH OTHER AND OTHER COUNTRIES THE DEVELOPMENT OF A GLOBAL PROTECTION SYSTEM -- AN INTERNATIONAL REGIME FOR PROTECTION AGAINST LIMITED BALLISTIC MISSILE ATTACK. BOTH GOVERNMENTS LOOK FORWARD TO COOPERATION ON THESE MATTERS WHERE OUR COMMON INTERESTS ARE ENGAGED AND AGREE TO KEEP EACH OTHER CLOSELY INFORMED OF DEVELOPMENTS.

OTHER SECURITY ISSUES

BOTH GOVERNMENTS REAFFIRMED THEIR COMMITMENT TO WORK IN THE INTERNATIONAL COMMUNITY TO ENSURE IRAQI COMPLIANCE WITH UNSC RESOLUTIONS, AND RECOGNIZED THE SUBSTANTIAL CONTRIBUTION WHICH EACH WAS MAKING TO THE MULTINATIONAL INTERCEPTION FORCE (MIF) MONITORING SANCTIONS COMPLIANCE. THEY AGREED THAT RENEWED EFFORTS WERE NEEDED TO ENCOURAGE OTHERS TO JOIN THE MIF.

BOTH SIDES CONDEMNED IRAQ'S HARASSMENT OF UN PERSONNEL, INCLUDING UN SPECIAL COMMISSION (UNSCOM) INSPECTION TEAMS ACTING UNDER UNSC RESOLUTION 687. THE TWO GOVERNMENTS PLEDGED CONTINUED SUPPORT FOR UNSCOM, INCLUDING A WILLINGNESS TO PROVIDE EXPERTS FOR THE INSPECTION TEAMS. THE TWO GOVERNMENTS ALSO AGREED TO SUPPORT AND ENCOURAGE UN

0009

HUMANITARIAN EFFORTS UNDER UNSC RESOLUTION 688 WHICH RESPOND TO THE
SUFFERING OF THE PEOPLE OF IRAQ. THEY REAFFIRMED THEIR SUPPORT FOR
THE AERIAL MONITORING AND CONSEQUENT NO-FLY ZONES IN NORTHERN AND
SOUTHERN IRAQ, WHICH RESPOND TO IRAQ'S CONTINUED OPPRESSION OF THE
POPULATIONS LIVING IN THOSE AREAS.

AUSTRALIA WELCOMED THE LEADERSHIP OF THE UNITED STATES IN THE MIDDLE
EAST PEACE PROCESS. THE UNITED STATES EXPRESSED APPRECIATION FOR
AUSTRALIA'S POSITIVE CONTRIBUTION TO THE ARMS CONTROL AND REGIONAL
SECURITY (ACRS) MULTILATERAL WORKING GROUP.

BOTH GOVERNMENTS WELCOMED THE CONCLUSION OF THE CHEMICAL WEAPONS
CONVENTION (CWC) NEGOTIATIONS AND AGREED, AS ORIGINAL CO-SPONSORS OF
THE DRAFT RESOLUTION COMMENDING THE CWC NOW BEFORE THE GENERAL
ASSEMBLY, TO CONTINUE EFFORTS TO URGE ALL COUNTRIES TO SUPPORT THE
CWC AND TO BECOME ORIGINAL SIGNATORIES. THEY ALSO AGREED TO WORK
ACTIVELY TO ENSURE THAT THE CWC COMES INTO EFFECT AT THE EARLIEST
POSSIBLE DATE. THE UNITED STATES COMMENDED THE LEADERSHIP ROLE OF
AUSTRALIA IN FOSTERING THE SUCCESSFUL CONCLUSION TO THE NEGOTIATIONS.

BOTH SIDES EMPHASIZED THEIR SHARED COMMITMENT TO PREVENTING THE
PROLIFERATION OF WEAPONS OF MASS DESTRUCTION, INCLUDING THROUGH THE
STRENGTHENING OF IAEA SAFEGUARDS. THE TWO GOVERNMENTS STRESSED THE
IMPORTANCE OF INDEFINITE EXTENSION OF THE NUCLEAR NON-PROLIFERATION
TREATY (NPT) IN 1995.

REVIEWING DEVELOPMENTS IN EUROPE, THE TWO SIDES EXPRESSED SUPPORT FOR
THE EFFORTS OF THE NEWLY INDEPENDENT STATES TO ESTABLISH DEMOCRATIC,
MARKET-ORIENTED SOCIETIES. AUSTRALIA AND THE UNITED STATES DISCUSSED
THE ONGOING CONFLICT IN THE FORMER YUGOSLAVIA AND AGREED TO CONTINUE
TO SUPPORT UN EFFORTS TO END THE CONFLICT THROUGH DIPLOMATIC AND
OTHER MEANS.

ECONOMIC AND TRADE ISSUES

THE UNITED STATES AND AUSTRALIA EMPHASIZED THE IMPORTANCE OF
FOSTERING FREE AND UNDISTORTED TRADE GLOBALLY AND IN THE ASIA-PACIFIC
REGION. BOTH SIDES AGREED THAT A SUCCESSFUL CONCLUSION TO THE
URUGUAY ROUND IS THE MOST IMPORTANT PRIORITY IN THE INTERNATIONAL
ECONOMY. TO THIS END, THE TWO SIDES AGREED THAT AN URGENT
BREAKTHROUGH ON AGRICULTURE IS CRITICAL AND THEY CALLED ON THE EC AND
OTHER PARTIES TO SHOW THE NECESSARY FLEXIBILITY TO SEE THIS ACHIEVED.
BOTH GOVERNMENTS RENEWED CALLS ON ALL GATT PARTIES TO SHOW THE
POLITICAL COMMITMENT TO CONCLUDE THE ROUND AS A MATTER OF URGENCY

THEY UNDERLINED THEIR STRONG COMMITMENT TO ASIA PACIFIC ECONOMIC
COOPERATION (APEC) AND WELCOMED ITS ROLE AS A PRIMARY VEHICLE FOR
ACHIEVING INCREASED TRADE LIBERALIZATION IN THE REGION. THE UNITED
STATES AND AUSTRALIA EXCHANGED VIEWS ON NAFTA AND THE PRESIDENT'S
GOAL TO DEVELOP A NETWORK OF FREE TRADE AGREEMENTS WITH THE PACIFIC,
LATIN AMERICA, AND SOME EASTERN EUROPEAN COUNTRIES AS A MEANS OF
FURTHERING TRADE LIBERALIZATION. AUSTRALIA AND THE UNITED STATES
EMPHASIZED THE BENEFITS OF MAINTAINING AN OPEN REGIONAL TRADING
SYSTEM ON AN APEC-WIDE BASIS.

AUSTRALIA PRESSED STRONGLY ITS CONCERNS AT THE CONTINUING RESORT TO
EXPORT SUBSIDIES, INCLUDING THE EXPORT ENHANCEMENT PROGRAM, IN
INTERNATIONAL AGRICULTURAL TRADE. THE UNITED STATES REITERATED THAT
IT WILL CONTINUE TO USE THE EXPORT ENHANCEMENT PROGRAM TO COUNTER
HIGH EC EXPORT SUBSIDIES, BUT ASSURED AUSTRALIA THAT IT WILL ALSO
CONTINUE, WHERE FEASIBLE, TO MINIMIZE THE EFFECTS ON AUSTRALIA AND

0010

OTHER NON-SUBSIDIZERS

BOTH GOVERNMENTS AGREED THAT DISCUSSIONS ON A TRADE AND INVESTMENT
FRAMEWORK AGREEMENT (TIFA) SHOULD BE ACCELERATED WITH THE VIEW TO
CONCLUDING AN AGREEMENT AS SOON AS POSSIBLE.

AUSTRALIA CONFIRMED ITS INVITATION TO THE UNITED STATES TO THE NEXT
ROUND OF ANNUAL TALKS IN AUSTRALIA IN 1993.

ENDS

0011

공 란

공 란

공   란

공　　　란

공   란

공   란

공   란

공　　　　란

공   란

1. 美議會, 93會計年度 國防授權法案 承認(防衛費 分擔)

  o 10.3 美 上.下院은 行政府 提案보다 72억불을 削減한 2,743억불
    규모의 93會計年度 國防授權法案을 最終 承認한 바, 上.下院
    合同委에서 防衛費 分擔관련 合意한 事項은 아래와 같음.

    - 93년도 海外駐屯 비용 5억불 削減 및 94-96년도간 美軍 追加
      減縮에 상응하는 수준의 豫算 追加削減 추진

    - 96년말까지 현 海外駐屯 美軍 수준의 40% 減縮

  o 우리의 경우 美側과 95년까지 駐韓美軍 駐屯에 따른 원화
    비용의 1/3수준 增額등 防衛費 負擔原則에 기합의한바
    있으므로(93년중 2억2천만불 부담), 上記 美國의 海外駐屯
    費用 削減 措置가 中.短期的으로는 우리에게 큰 영향을
    미치지는 않을 것으로 평가됨.

2. 美 國務部 東亞.太次官補의 下院 聽聞會 證言

  o 10.5 '클라크' 美 國務部 東亞.太次官補는 下院 外務委
    亞.太小委 聽聞會에 出席, 北韓核問題, 美國의 對北韓 關係
    改善, 北韓의 自由開放化 展望등에 관해 美 行政府의 旣存
    立場을 재천명함.

    - 특히 同 次官補는 北韓의 經濟가 매우 어려운 狀況에 있고
      軍事裝備도 老朽化된 상태에 있어, 약간의 自由化 바람이
      流入될 경우 韓半島 統一이 加速化될 可能性이 있다고
      展望함.   (駐美大使 報告)

3. 브래들리 라성市長 訪韓

  o '톰 브래들리' 라성市長이 라성市 通商使節團을 引率하고
    10.18-20간 訪韓 예정임.

    * 同 市長이 그동안 라성居住 韓人同胞들을 위하여 많은 일을 해 왔음을
      감안, 大統領閣下 禮訪을 建議中임.   0021

관리 $\textbf{82}$ -
번호 678

외 무 부

종 별 : 지 급

번 호 : USW-4969   일 시 : 92 1007 2307

수 신 : 장 관 (미이) 사본: 국방부장관 (정책기획차장)

발 신 : 주 미 대사

제 목 : SCM 공동서명 채택

　　1. 제 24 차 한. 미 연례 안보협의회 (SCM)가 금 10.7(수) 개최된 바, 특히 SCM 공동서명 분과위원회는 국무부에서 09:00 - 11:30 간 외무부 신차관보 및 LYNN PASCOE 국무부 동아태 부차관보를 공동의장으로 하여 표제관련 최종문안 협의를 진행하였음. (아측은 국방부 정책기획관 및 대미 정책과장, 주미 정무참사관, 외무부 북미 2 과장 등이, 미측은 BURGARDT 주한공사, KARTMAN 국무부 한국과장, SCHMIEL 부과장, FLINT 국방부 SCM 담당관등이 참석함)

　　2. 상기 회의에서는 제 9 항 후반부의 T/S 훈련재개 문제를 제외한 전항목에 대하여 합의가 이루어 졌으며, 다만 T/S 훈련재개 문제는 당일 오후 실무협의를 봉하여 타결되었는 바, 공동성명의 영문,국문을 별첨 보고하며 각 항목별 주요 내용은 아래와 같음.

　　- 아 래 -

　　0 제 1 항

　　- SCM 및 MCM 개최 개요

　　0 제 2 항

　　- 한반도의 평화,안정은 동북아, 더 나아가 미국의 안보에 중요

　　- 세계적 화해, 협력추세에 불구, 지역적 불안요인 상존

　　0 제 3 항

　　- 남북 기본합의서, 비핵화 공동선언 이행에 대한 미국의 전폭적인 지지 확인

　　0 제 4 항

　　- 북한의 핵개발 저지를 위한 한. 미 양국의 공동대처 의지 표명

　　0 제 5 항

　　- 북한 핵개발 계획에 심각한 우려 표명

미주국	장관	차관	1차보	분석관	청와대	안기부	국방부

- 북한에 대한 남북 상호사찰 수용 촉구
- 북한의 미사일 및 대량파괴 무기개발, 수출에 대한 우려 표명

0 제 6 항

- 미국의 대한 방위공약 및 핵우산 보호 제공 제확인

0 제 7 항

- EASI 1 단계의 순조로운 이행 평가
- 주한미군 추가 감축및 한. 미 연합 방위 체제내에서의 역할 조정등은 단계적, 신축적으로 추진

0 제 8 항

- 북한의 핵개발 의혹 해소시까지 주한미군 추가감축 유보
- 주한미군 장비 현대화 및 한국군 재래식 방위력 개선

0 제 9 항

- 평시 작전통제권의 1994 년말까지 한국군에 이양
- 구체적인 시기, 절차등 세부시행 지침은 한. 미 군사 위원회에서 검토하여 차기 SCM 에 보고
- 남북관계, 특히 상호 핵사찰 등에 있어서 의미있는 진전 없을시 93 년도 T/S 실시준비 조치 계속

0 제 10 항

- 93 년도 2.2. 억불 방위비 분담
- '95 년까지 주한미군 현지발생 비용의 1/3 부담

0 제 11 항

- 한. 미 안보협력 관계는 남북관계 진전에 기여하는 방향으로 노력
- 현 휴전체제는 항구적 평화체제 구축시까지 유지

0 제 12 항

- 1990 년대에 있어 한. 미 안보동맹 관계가 좀더 포괄적인 전략 파트너쉽으로 발전 전망
- 정책검토위 (PRS)에 장기적 한. 미 안보협력관계 방향 설정 검토및 1994년 제 26 차 SCM 에 보고 위임.

0 제 13 항

- 한. 미 양국간 방산, 군수,기술협력 중요성 재확인

PAGE 2

- WHNS 시행 세부 약정체결 준비

0 제 14 항

- 1993 년 제 25 차 SCM 서울 개최

0 제 15 항

- 미측에 금번 SCM 준비 감사

4. 상기 공동성명은 명 10.8(목) SCM 본회의 직후 합동 기자회견 (오후 1 시)시에 발표될 것인 바, 국방부측은 사전에 국방부 수행 기자단에게 EMBARGO 를 붙여 금일중 배포 예정임을 참고로 보고함.

첨부: 공동성명 (국, 영문)

제 24 차 SCM 공동성명

1. 대한민국과 미합중국간의 제 24 차 안보협의회의 (SCM)가 1992.10.7-8.간 미국 워싱턴에서 개최되었다. 동 회의에는 최세창 대한민국 국방부장관과 리챠드 체니 미합중국 국방부장관을 각각 수석대표로 한, 미 양국의 고위 국방, 외교 관계자들이 참석하였다. SCM 에 앞서 1992.10.7. 에는 제 14 차 한, 미 군사 위원회 회의(MCM)가 이필섭 대한민국 합참의장과 콜린 포웰 미합중국 합참의장 주재로 개최되었다.

2. 양국 대표단은 제 23 차 SCM 이후의 국제정세와 한반도를 중심으로 한 동북아 지역의 안보 환경을 심도있게 평가하고, 한반도의 안정과 평화는 동북아시아 지역과 미국의 안보에 중추적인 요소임을 재천명하였다. <u>양측은 범세계적인 화해와 협력의 추세에도 불구하고, 동북 아시아에는 북한의 핵개발을 포함한 불안정 요인이 상존하고 있다는 데 의견을 같이</u>하였으며, 체니장관은 미국은 지역내 미국의 이익을 감안하여 아시아 안보와 관련된 지속적 역할과 동지역에 미군의 장기주둔을 재천명하였다.

3. 양측은 지난 23 차 SCM 이후 한반도문제의 해결에 크게 기여할 것으로 기대되는 몇가지의 긍정적인 사건들이 발생했음에 유의하고, 그 중 가장 중요한 것은 '남북 사이의 화해와 불가침 및 교류, 협력에 관한 합의' 와 '한반도 비핵화 공동선언' 이었다는 데 의견을 같이 하였다. 체니장관은 한반도의 평화와 안정의 기반을 제공하는 뜻에서 이러한 합의들이 즉각적이고도 완전하게 이행 되어야 한다는데 대한 미국정부의 지지할 것임을 재천명 하였다.

4. <u>양국 대표단은 북한의 핵개발과 관련된 모든 활동을 저지하기 위하여 계속 긴밀히 협력해 나가기로 다짐</u>하였다. 체니장관은 노태우 대통령의 1991. 12.18. 자 '한반도 핵부재 선언' 을 상기하고, 미국은 노 대통령의 동 선언을 환영하며, 미국의

PAGE 3

0024

정책 또한 동 선언과 기조를 같이 하고 있고, 남북합의에 의한 상호 핵사찰이 이행될 경우 미국은 주한미군의 군사시설을 공개할 준비가 되어 있음을 재강조 하였다. 양측은 북한이 국제원자력기구 (IAEA)의 핵안전협정에 서명하고 동 협정을 이행하며 IAEA 핵사찰을 수용하겠다고 결정한 것은 한반도 평화를 위해 필요하고 유용한 일단계 조치라는 데 인식을 같이 하였다.

5. 그럼에도 불구하고, 양국 대표단은 최근 북한이 국제원자력기구 (IAEA)의 핵사찰을 구실로 한반도 비핵화 공동선언에 명시된 남북 상호사찰을 계속 지연,회피하고 있다는 데, 심각한 우려를 표명하였다. 북한의 핵개발 의혹과 관련하여, 최장관과 체니장관은 북한이 강제사찰을 포함한 신뢰성있고 효과적인 남북 상호사찰에 동의하고, 핵무기 개발 의사가 없을 뿐 만 아니라 핵재처리 시설 및 우라늄 농축시설을 보유하고 있지 않다는 사실을 보증할 수 있도록 한반도 비핵화 공동선언에 포함되어 있는 모든 공약을 즉각 이행할 것을 촉구하였다. 양측은또한 북한이 대량 살상무기와 장거리 미사일을 계속 개발하고 있다는데 우려를표명하였으며, 북한의 지속적인 공세전력 증강을 불안정 요소로 평가하고, 북한 당국에게 이러한 활동을 중지함으로써 한반도의 안정과 평화에 기여할 것을 촉구하였다. 아울러 양측은 북한 당국이 이러한 미사일 수출 행위를 중지할 것을촉구하였다.

6. 체니장관은 대한민국이 무력침공을 받을 경우, 미국은 1954 년 한. 미 상호 방위 조약에 의거 즉각적이고도 효과적인 지원을 제공할 것임을 강조하면서 미국의 확고한 대한 안보 공약을 재천명하였다. 체니장관은 적절한 연합 억제력 보장 차원에서 한. 미간 긴밀한 협력의 중요성을 강조하였으며, 한국에 대한 미국의 핵우산은 계속 제공될 것임을 재확약하였다.

7. 최장관과 체니장관은 미국의 동아. 태 전략구상 (EASI) 1 단계('90-92')계획이 순조롭게 추진된 데 대하여 만족을 표명하였다. 양측은 동 기간중에 주한 미군 감축, 정전위 수석대표에 한국 군장성 임명, CFA 해체 및 최근에 발표된 연합사 지상 구성군 사령관에 한국 장성 임명등에 유의하면서, 향후 주한미군 감축과 현 한.미 연합 방위 체제에서의 역할 조정등 한. 미간 군사현안은 "한.미 연합 억제력 유지"와 "남북관계 개선"이라는 두가지 목표를 동시에 달성할 수 있도록 단계적, 신축적으로 추진해 나가기로 합의하였다.

8. 양측은 주한미군에 대하여 "한. 미 양국 정부와 국민이 대북억제력을 제공하고 한반도의 안정과 평화에 기여한다고 믿는 한", 주한미군을 계속 유지하기로

PAGE 4

합의하였으며, 주한미군의 추가감축은 북한의 핵개발 계획에 대한 불확실성이 철저하게 규명될 때까지 계속 유보하기로 합의하였다. 양 대표단은 지난해 SCM에서 논의되었던 주한미군의 현대화와 한국군의 재래식 전력증강 노력이 만족스럽게 추진되었다는 데 의견을 같이 하였다. 체니장관은 북한의 오판을 방지하기 위하여 이러한 노력이 계속 될 것임을 재천명하였으며, 최장관은 체니장관에게 사의를 표명하고 한반도의 연합억제력 증강을 위하여 계속 노력할 것임을 다짐하였다.

9. 양국 대표단은 미국의 한국 방위역할이 지원적 역할로 순조롭게 전환되고 있으며 또 앞으로도 계속 되어야 한다는데 인식을 같이하였다. 양측은 한국군에 대한 평시 작전통제권을 늦어도 1994 년 12 월 31 일까지 한국에 전환하기로 합의하였다. 최장관과 체니장관은 한. 미 군사위원회로 하여금 시행지침과 구체적인 전환시기를 1993 년 제 25 차 SCM 에 건의하도록 지시했다. 또한 양측은 한.미 연합훈련은 한반도 연합 전비태세 및 대북억제력 유지 차원에서 필요하다는데 인식을 같이하고, 남북관계 특히 상호핵사찰 등에 있어서 의미있는 진전이 없을 경우 '93 팀.스피리트 훈련을 실시하기 위한 준비조치를 계속해 나가기로 합의하였다.

10. 최장관과 체니장관은 한국의 연합방위를 위한 양국간 방위비 분담 관련사항을 검토하고 현안문제에 대해 협의하였다. 양측은 한국정부가 '93 년도에 2.2억불 상당의 지원을 주한미군에 제공하기로 합의하였다. 체니장관은 그동안 주한 미군의 유지를 위한 한국 정부의 지원과 한국정부가 '95 년까지 주한미군 현지 발생비용 (WBC)의 1/3 수준을 부담하겠다고 약속해 준데 대하여 사의를 표명하였다. 최장관과 체니장관은 한. 미간 방위비분담 계획은 앞으로 계속 유지.강화되어야 할 한. 미간 긴밀 협력관계의 또 하나의 증표라는데 인식을 같이하였다.

11. 최장관과 체니장관은 한반도의 통일은 평화적인 방법으로 이루어져야 한다는데 의견을 같이하고, 한반도 문제의 평화적 해결을 위한 주요 수단인 남북대화가 계속 진전되어 긴장완화와 가시적인 신뢰구축 조치들을 통해서 평화 통일로 이어지기를 희망하였다. 양 장관은 한반도의 평화통일이 아. 태지역의 안정과 한. 미 양국의 공동이익에 크게 이바지하게 될 것이라는 공동 인식하에, 한. 미 안보협력도 남북 관계개선과 한반도 평화통일에 기여하는 방향으로 유지시켜 나가기로 합의하였다. 양측은 1953 년 군사정전 협정은 남북간 직접협상에 의해 평화체제로 대체될 때까지 존속되어야 하며, 군비통제도 남북간 직접대화에 의해 실질적으로 이루어져야 한다는 데 인식을 같이하였다.

PAGE 5

12. 양측은 1990 년대 기간중 한. 미 쌍무관계는 안보 동맹에서 점차 한. 미 쌍무적, 한반도,지역, 세계 차원에서의 상호 존중과 협력에 기초한 보다 포괄적인 정치.경제. 안보 동반자 관계로 진전될 것임을 확인하였다. 최장관과 체니장관은 21 세기를 지향하여 한. 미간 전략적 동반자 관계를 계속 유지, 발전시켜 나가기로 하였으며, 이러한 인식하에 한. 미 국방정책 검토위원회로 하여금한. 미 안보 협력관계의 장기 발전방향 설정및 관련사항의 정립을 위한 공동연구를 실시하여 그 결과를 1994 년 제 26 차 SCM 에 보고하도록 합의하였다.

13. 양국 대표단은 한. 미간 방산, 군수,기술 협력이 양국의 국가이익에 최대한 기여하는 방향으로 계속 유지되어야 할 것이라는데 합의하고, 한. 미 방산/ 기술 협력 소위원회 등 기존의 협력 체제를 더욱 발전시켜 나가기로 재다짐하였다. 양측은 지난 4 월 미육군 기술협력단의 한국 방문과 조만간 이루어질 것으로 예상되는 한국팀의 답방계획을 양국간 방위협력 촉진 활동의 주요 사례로 평가하였다. 양국 대표단은 1989 년 7 월에 체결된 '재래식 무기의 특허료 지불에 관한 양해각서'의 수정본은 조기에 서명하고, 상호조달 방산물자에 대한 품질보증 협정'은 방산, 기술 협력위원회의 주관하에 1992 년말까지 체결하기로 합의하였다. 양측은 1991 년 제 23 차 SCM 시 서명된 전시지원 (WHNS) 협정과 관련해서, 동 협정이 한국국회 비준시 협정집행을 위해 필요한 기술 약정합의서 초안에 관한 작업이 진행되고 있음에 만족을 표시하였다.

14. 최장관과 체니장관은 금년 한. 미 안보협의회의 (SCM)는 특히 급변하는 국제 정세하에서 전통적인 한. 미 동맹관계를 강화하고 아. 태지역내 양국의 공동 이익을 위하여 미래 지향적인 장기 안보협력방향을 설정하는 중요한 계기가 되었다는 데 합의하고, 차기 안보협의회의는 1993 년 상호 편리한 시기에 한국에서 개최하기로 합의하였다.

15. 최장관은 금번회의가 성공리에 개최될 수 있도록 철저한 준비와 세심한 배려를 해준 미국측 대표단에게 사의를 표명하였다.

이하 영문자료는 USW-4970, 4971 호로 계속되는 바, 합본 처리바람.

관리 번호 92 -629

외 무 부

종 별 : 지급

번 호 : USW-4970 일 시 : 92 1007 2338

수 신 : 장 관 (미이) 사본: 국방부장관(정책기획차장)

발 신 : 주 미 대사

제 목 : USW-4969 호의 계속분

JOINT COMMUNIQUE

OF THE

24TH U.S./ROK SECURITY CONSULTATIVE MEETING

WASHINGTON, D.C.

OCTOBER 7-8, 1992. THE TWENTY-FOURTH SECURITY CONSULTATIVE MEETING (SCM) BETWEEN THE UNITED STATES OF AMERICA (U.S.) AND THE REPUBLIC OF KOREA (ROK) WAS HELD IN WASHINGTON D.C., OCTOBER 7 AND 8, 1992. U.S. SECRETARY OF DEFENSE RICHARD B. CHENEY AND ROK MINISTER OF NATIONAL DEFENSE CHOI SAE CHANG LED THEIR RESPECTIVE DELEGATIONS, WHICH INCLUDED SENIOR DEFENSE AND FOREIGN POLICY OFFICIALS OF BOTH COUNTRIES. PRIOR TO THIS MEETING, THE CHAIRMEN OF THE JOINT CHIEFS OF STAFF, GENERAL COLIN POWELL AND GENERAL LEE PIL SUP PRESIDED OVER THE FOURTEENTH U.S./ROK MILITARY COMMITTEE MEETING (MCM) ON OCTOBER 7,1992.

,,2. THE TWO DELEGATIONS CAREFULLY REVIEWED DEVELOPMENTS IN THE WORLD AND IN NORTHEAST ASIA SINCE THE 23RD SCM, WITH EMPHASIS ON THE KOREAN PENINSULA, AND REAFFIRMED THAT THE PEACE AND STABILITY OF THE KOREAN PENINSULA ARE CENTRAL TO THE SECURITY OF NORTHEAST ASIA, WHICH IN TURN IS VITAL TO THE SECURITY OF THE UNITED STATES. BOTH SIDES SHARED THE VIEW THAT, DESPITE WORDWIDE TRENDS OF RECONCILIATION AND COOPERATION, THERE STILL EXIST DESTABILIZING FACTORS IN NORTHEAST ASIA SUCH AS THE NORTH KOREAN NUCLEAR PROGRAM. IN THIS CONNECTION, SECRETARY CHENEY, NOTING ENDURING UNITED STATES INTERESTS IN THE REGION, REAFFIRMED THE INTENTION OF THE UNITED STATES TO SUSTAIN ITS SECURITY ENGAGEMENT AND PRESENCE IN ASIA FOR THE LONG TERM.

미주국	장관	차관	1차보	분석관	청와대	안기부	국방부

,,3. THE TWO DIDES NOTED THAT THE PERIOD SINCE THE 23RD SCM SAW SEVERAL POSITIVE EVENTS IN KOREA THAT HAVE THE POTENTIAL TO CONTRIBUTE SIGNIFICANTLY TO THE RESOLUTION OF THE PROBLEMS OF THE KOREAN PENINSULA. THEY AGREED THAT THE MOST IMPORTANT OF THESE WERE THE "AGREEMENT ON RECONCILIATION, NON-AGGRESSION AND EXCHANGES AND COOPERATION BETWEEN THE SOUTH AND THE NORTH," (SOUTH-NORTH BASIC AGREEMENT) AND THE "JOINT DECLARATION ON THE DENUCLEARIZATION OF THE KOREAN PENINSULA" (SOUTH-NORTH JOINT DECLARATION). SECRETARY CHENEY REAFFIRMED THE SUPPORT OF THE UNITED STATES FOR THE FULL AND PROMPT IMPLEMENTATION OF THESE ACCORDS, WHICH WILL PROVIDE THE FOUNDATION FOR PEACE AND STABILITY IN KOREA.

,,4. BOTH DELEGATIONS PLEDGED TO CONTINUE TO COOPERATE CLOSELY TO ASSURE THAT NORTH KOREA CEASES ALL ACTIVITIES ASSOCIATED WITH DEVELOPMENT OF A NUCLEAR WEAPONS PROGRAM. RECALLING PRESIDENT ROH TAE WOO'S DECEMBER 18, 1991, DECLARATION THAT THERE WERE NO NUCLEAR WEAPONS IN THE REPUBLIC OF KOREA, SECRETARY CHENEY REITERATED THAT THE UNITED STATES WELCOMED PRESIDENT ROH'S STATEMENT, THAT UNITED STATES POLICY WAS CONSISTENT WITH IT, AND THAT THE UNITED STATES WAS PREPARED TO OPEN ITS MILITARY FACILITIES IN THE REPUBLIC OF KOREA FOR INSPECTION IN THE CONTEXT OF AN AGREED EFFECTIVE BILATERAL NUCLEAR INSPECTION REGIME. THEY ALSO SHARED THE VIEW THAT THE DECISION BY NORTH KOREA TO SIGN AND IMPLEMENT ITS IAEA FULL-SCOPE SAFEGUARDS AGREEMENT AND TO PERMIT IAEA INSPECTIONS OF ITS NUCLEAR FACILITIES WAS A NECESSARY AND USEFUL FIRST STEP TOWARD PEACE ON THE PENINSULA.

,,5. THE TWO DELEGATIONS, HOWEVER, EXPRESSED THEIR SERIOUS CONCERN THAT NORTH KOREA WAS USING ITS COMPLIANCE WITH IAEA INSPECTIONS AS AN EXCUSE TO STALL THE MUTUAL INSPECTION REGIME MANDATED BY THE SOUTH-NORTH JOINT DECLARATION. IN VIEW OF REMAINING SUSPICIONS ABOUT NORTH KOREA NUCLEAR DEVELOPMENT, SECRETARY CHENEY AND MINISTER CHOI CALLED ON NORTH KOREA TO IMPLEMENT PROMPTLY AND FULLY ITS COMMITMENTS UNDER THE JOINT DECLARATION BY AGREEING TO CREDIBLE AND EFFECTIVE BILATERAL INSPECTIONS, INCLUDING CHALLENGE INSPECTIONS. THEY NOTED THAT THESE ACTIONS BY NORTH KOREA WOULD PROVIDE

PAGE 2

ESSENTIAL ASSURANCES THAT IT DOES NOT INTEND TO PRODUCE NUCLEAR WEAPONS AND DOES NOT POSSESS NUCLEAR REPROCESSING OR URANIUM ENRICHMENT FACILITIES. BOTH SIDES ALSO EXPRESSED CONCERN THAT NORTH KOREA IS CONTINUING EFFORTS TO DEVELOP WEAPONS OF MASS DESTRUCTION AND LONG-RANGE MISSILES, AND THEY ASSESSED NORTH KOREA'S ONGOING BUILDUP OF OFFENSIVE FORCES AS DESTABILIZING. THEY CALLED ON NORTH KOREA TO CEASE THESE ACTIONS AND THEREBY MAKE AN IMPORTANT CONTRIBUTION TO PEACE AND STABILITY ON THE KOREAN PENINSULA. IN ADDITION, THEY CALLED ON NORTH KOREA TO CEASE THE EXPORT OF SUCH MISSILES.

,,6. SECRETARY CHENEY REITERATED THE FIRM COMMITMENT OF THE U.S. TO RENDER PROMPT AND EFFECTIVE ASSISTANCE TO REPEL ANY ARMED ATTACK AGAINST THE REPUBLIC OF KOREA IN ACCORDANCE WITH THE U.S./ROK MUTUAL DEFENSE TREATY OF 1954. HE EMPHASIZED THE IMPORTANCE OF CLOSE COOPERATION BETWEEN THE TWO COUNTRIES IN ASSURING THE MAINTENANCE OF AN ADEQUATE COMBINED DETERRENT CAPABILITY AND REAFFIRMED THAT THE UNITED STATES WILL CONTINUE TO PROVIDE A NUCLEAR UMBRELLA FOR THE REPUBLIC OF KOREA.

,,7. SECRETARY CHENEY AND MINISTER CHOI EXPRESSED THEIR SATISFACTION OVER THE SMOOTH IMPLEMENTATION OF PHASE I OF THE EAST ASIA STRATEGIC INITIATIVE (EASI). THE TWO SIDES NOTED THE REDUCTION OF U.S. FORCES IN KOREA, THE APPOINTMENT OF ROK GENERAL AS THE SENIOR MEMBER OF THE MILITARY ARMISTICE COMMISION, THE DEACTIVATION OF THE COMBINED FIELD ARMY, AND THE RECENT ANNOUNCEMENT OF THE APPOINTMENT OF A ROK GENERAL AS COMMANDER OF THE CFC'S GROUND COMPONENT COMMAND. THEY AGREED THAT SUCH BILATERAL SECURITY ACTIONSAS FURTHER REDUCTION OF U.S. FORCES IN KOREA AND REALIGNMENT OF ROLES IN THE U.S./ROK COMBINED DEFENSE SYSTEM WILL BE TAKEN IN PHASED AND FLEXIBLE MANNER SO AS TO SIMULTANEOUSLY ACHIEVE THE TWO OBJECTIVES OF MAINTENANCE OF U.S./ROK COMBINED DETERRENT CAPABILITIES AND PROGRESS IN SOUTH-NORTH RELATIONS.

,,8. BOTH SIDES SHARED THE UNDERSTANDING THAT U.S. FORCES SHOULD REMAIN IN KOREA AS LONG AS THE GOVERNMENTS AND PEOPLE OF THE UNITED STATES AND REPUBLIC OF KOREA BELIEVE THAT THEY PROVIDE DETERRENCE AGAINST NORTH KOREAAND SERVE THE INTERESTS OF PEACE AND STABILITY ON THE KOREAN PENINSULA. BOTH SIDES

PAGE 3

0030

RECONFIRMED THAT ANY FURTHER DRAWDOWN OF U.S. FORCES IN KOREA WOULD BE MADE ONLY AFTER THE UNCERTAINTIES SURROUNDING THE NORTH KOREAN NUCLEAR PROGRAM HAVE BEEN THOROUGHLY ADDRESSED. THE DELEGATIONS AGREED THAT EFFORTS TO MODERNIZE U.S. FORCES IN KOREA AND IMPORVE THE CONVENTIONAL DEFENSE CAPABILITIES OF THE ROK DISCUSSED LAST YEAR WERE PROGRESSING SATISFACTORILY. SECRETARY CHENEY AFFIRMED THAT SUCH EFFORTS WOULD CONTINUE IN ORDER TO PREVENT ANY NORTH KOREAN MISCALCULATION. MINISTER CHOI EXPRESSED HIS APPRECIATION TO THE SECRETARY AND PLEDGED TO MAKE CONTINUED EFFORTS TO IMPROVE THE COMBINED DETERRENT POSTURE ON THE KOREAN PENINSULA.

,,9. THE DELEGATIONS AGREED THAT THE U.S. TRANSITION TO A SUPPORTING ROLE IN THE DEFENSE OF THE ROK WAS PROGRESSING WELL AND SHOULD CONTINUE. THE TWO SIDES ALSO AGREED THAT ARMISTICE OPERATIONAL CONTROL OVER THE ROK ARMED FORCES WILL BE TRANSFERRED TO THE REPUBLIC OF KOREA NOT LATER THAN 31 DECEMBER, 1994. SECRETARY CHENEY AND MINISTER SHOI DIRECTED THE U.S./ROK MILITARY COMMITTEE TO REPORT TO THE 25TH SCM IN 1993 ITS RECOMMENDATIONS ONIMPLEMENTING INSTRUCTIONS AND ON SPECIFIC TIMING FOR THE TRANSFER. BOTH SIDES ALSO SHARED THE VIEW THAT U.S./ROK MILITARY COMBINED EXERCISES ARE NECESSARY FOR THE MAINTENANCE OF THE U.S./ROK COMBINED DEFENSE POSTURE AND DETERRENCE AGAINST NORTH KOREA.

IN THE ABSENCE OF MEANINGFUL IMPROVEMENT IN SOUTH-NORTH RELATIONS, ESPECIALLY ON BILATERAL NUCLEAR INSPECTIONS, THEY AGREED TO CONTINUE PREPARATIONS FOR THE CONDUC OF THE 1993 TEAM SPIRIT EXERCISE.

이하 USW-4971 호로 계속되는바, 합본 처리바람.

PAGE 4

0031

외 무 부

종 별 : 지급

번 호 : USW-4971 　　　　　　　　　일 시 : 92 1007 2355

수 신 : 장 관 (미이) 사본: 국방부장관(정책기획차장)

발 신 : 주 미 대사

제 목 : USW-4970 호의 계속분

　　　10. SECRETARY CHENEY AND MINISTER CHOI REVIEWED PROGRESS AND DISCUSSEDISSUES RELATING TO THE SHARING OF DEFENSE COSTS BETWEEN THE TWO COUNTRIESFOR THE COMBINED DEFENSE OF THE REPUBLIC OF KOREA. BOTH SIDES AGREED THATTHE GOVERNMENT OF THE REPUBLIC OF KOREA WOULD PROVIDE $220 MILLION TO THEU.S. FORCES IN KOREA IN 1993. SECRETARY CHENEY EXPRESSED HIS APPRECIATIONFOR THE ROK GOVERNMENT'S CONTRIBUTION TO THE MAINTENANCE OF U.S. FORCES IN KOREA AND ITS COMMITMENT TO INCREASE THAT CONTRIBUTION TO THE LEVEL OF ONE-THIRD OF THE WON-BASED COSTS OF STATIONING U.S. FORCES IN KOREA BY 1995. SECRETARY CHENEY AND MINISTER CHOI RECOGNIZED THAT THIS PROGRAM WAS ANOTHER INDICATION OF THE CLOSENESS OF U.S./ROK SECURITY RELATIONSHIP WHICH THEY WOULD CONTINUE TO FOSTER AND STRENGTHEN.

　　11. SECRETARY CHENEY AND MINISTER CHOI SHARED THE VIEW THAT THE REUNIFICATION OF THE KOREAN PENINSULA SHOULD BE ACHIEVED IN A PEACEFUL MANNER.THEY EXPRESSED THEIR HOPE THAT THE SOUTH-NORTH DIALOGUE, WHICH IS THE PRIMARY MEANS OF PEACEFULLY RESOLVING THE PROBLEMS OF THE KOREAN PENINSULA, WOULD CONTINUE AND LEAD TO PEACEFUL UNIFICATION, INCLUDING THROUGH THE IMPLEMENTATION OF TENSION REDUCTION AND CONCRETE CONFIDENCE-BUILDING MEASURES.SECRETARY CHENEY AND MINISTER CHOI AGREED TO MAKE EVERY EFFORT TO MAINTAIN SECURITY COOPERATION BETWEEN THE TWO COUNTRIES IN SUCH A WAY AS TO CONTRIBUTE TO THE PROGRESS OF SOUTH-NORTH RELATIONS, AND THUS TO THE EVENTUAL REUNIFICATION OF THE KOREAN PENINSULA, WITH A COMMON RECOGNITION THAT ITS PEACEFUL REUNIFICATION WILL MAKE A GREAT CONTRIBUTION TO THE STABILITY OF

미주국　　장관　　차관　　1차보　　분석관　　청와대　　안기부　　국방부

NORTHEAST ASIA AND THE COMMON INTERESTS OF BOTH THE U.S. AND THE ROK. BOTH SIDES ALSO SHARED THE VIEW THAT THE MILITARY ARMISTICE AGREEMENT OF 1953 SOULD REMAIN VALID UNTIL SUPERSEDED BY A PEACE MECHANISM BASED ON DIRECT NEGOTIATIONS BETWEEN SOUTH AND NORTH KOREA AND ALSO THAT SUBSTANTIVE PROGRESS IN ARMS CONTROL SHOULD BE ACHIEVED THROUGH DIRECT DIALOGUE BETWEEN THE SOUTH AND THE NORTH.

,,12. THE TWO SIDES ALSO AFFIRMED THAT THE 1990'2 WOULD SEE CONTINUED EVOLUTION OF THE BILATERAL U.S.-ROK RELATIONSHIP FROM A SECURITY ALLIANCE TO MORE BROADLY-BASED POLITICAL, ECONOMIC, AND SECURITY PARTNERSHIP, AND THAT MUTUAL RESPECT AND COPPERATION ON BILATERAL, KOREAN, REGIONAL, AND INTERNATIONAL MATTERS WILL BE THE FOUNDATION OF THIS PARTNERSHIP. MINISTER CHOI AND SECRETARY CHENEY, LOOKING AHEAD TO THE 21ST CENTRY, AGREED TO MAINTAIN AND ENHANCE CONTINUALLY THE U.S./ROK STRATEGIC PARTNERSHIP. TO THIS END, THEY AGREED THAT THE POLICY REVIEW SUBCOMMITTEE (PRS) WOULD CONDUCT A JOINT STUDY TO CONSIDER GUIDELINES FOR AND TO DEFINE THE ELEMENTS OF THE LONG-TERM U.S./ROK SECURITY RELATIONSHIP, AND REPORT ITS FINDINGS TO THE 26TH SCM IN 1994.

,,13. BOTH DELEGATIONS AGREED THAT DEFENSE TECHNOLOGICAL, INDUSTRIAL AND LOGISTICS COOPERATION CONTINUES TO BE IN THE BEST INTERESTS OF BOTH NATIONS AND REAFFIRMED THEIR DEDICATION TO FURTHER DEVELOPING THE EXISTING COOPERATIVE SYSTEM, THROUGH THE U.S./ROK DEFENSE INDUSTRIAL COOPERATION AND TECHNOLOGICAL COOPERATION SUBCOMMITTEES. THEY CITED THE VISIT OF THE U.S. ARMY TECHNICAL COOPERATION TEAM TO KOREA IN APRIL AND THE IMPENDING RECIPROCAL VISIT BY THE ROK TEAM AS EXAMPLES OF THE TYPES OF ONGOING ACTIVITIES WHICH CAN STRENGTHEN DEFENSE COOPERATION. THE TWO DELEGATIONS AGREED TO SIGN SOON THE AMENDMENT TO THE "MEMORANDUM OF UNDERSTANDING ON THE ROYALTY REES OF U.S. ORIGINATED DEFENSE ARTICILES" WHICH WAS CONCLUDED IN JULY 1989. THEY ALSO AGREED TO CONCLUDE UNDER DTIC AUSPICES THE "QUALITY ASSURANCE AGREEMENT FOR DEFENSE ARTICLES" BY THE END OF 1992. RECALLING THE WARTIME HOST NATION SUPPORT AGREEMENT SIGNED AT THE 23RD SCM IN 1991, BOTH SIDES EXPRESSED SATISFACTION

PAGE 2

THAT WORK IS PROGRESSING ON DRAFTING THE NECESSARY TECHNICAL ARRANGEMENTS TO IMPLEMENT THE AGREEMENT, ONCE IT IS RATIFIED BY THE ROK NATIONAL ASSEMBLY.

,,14. SECRETARY CHENEY AND MINISTER CHOI AGREED THAT THIS SCM WAS ESPECIALLY IMPORTANT FOR REINFORCING THE TRADITIONAL U.S./ROK ALLIANCE IN A RAPIDLY CHANGING INTERNATIONAL SECURITY SITUATION AND FOR SETTING THE LONG-TERM COURSE FOR FUTURE SECURITY COOPERATION FOR THE COMMON INTERESTS OF THETWO COUNTRIES IN THE ASIA-PACIFIC REGION. SECRETARY CHENEY AND MINISTER CHOI AGREED TO HOLD THE NEXT SCM AT A MUTUALLY CONVENIENT TIME IN 1993, IN THE REPUBLIC OF KOREA.

,,15. MINISTER CHOI EXPRESSED HIS APPRECIATION FOR THE WARM WELCOME AND HOSPITALITY EXTENDED TO HIM AND HIS DELEGATION BY THE U.S. AND FOR THE EXCELLENT ARRANGEMENTS WHICH MADE THIS PRODUCTIVE AND SUCCESSFUL MEETING POSSIBLE. 끝.

예고: 92.12.31. 까지

공   란

공   란

공   란

공　　　　란

'92 - 제493 호

남한 조선로동당사건 및 한미연례안보협의회 관련,
"연형묵총리의 대남편지"

('92. 10. 14. 18:00, 중.평방)

북남고위급회담 우리측대표단 단장인 조선민주주의인민공화국 정무원총리 연형묵동지는 14일 남측대표단 수석대표인 남조선 국무총리 현승종에게 편지를 보냈습니다.

편지는 다음과 같이 지적했습니다.

북남쌍방은 평양에서 있은 제8차 북남고위급회담에서 화해와 불가침 및 협력.교류본야의 부속합의서들을 채택.발효시키고 각 공동위원회들이 가동할 수 있는 조건을 마련함으로써 북남합의서의 실질적인 이행단계에 들어서게 되었다.

쌍방이 합의한대로 오는 11월부터 북남공동위원회들이 가동되고 성과적으로 운영되면 북남사이에는 오해와 불신, 대결과 긴장대신에 화해와 완화, 평화와 통일을 위한 새국면이 열리게 되리라는 것은 의심할 바 없다.

지금 온 거레는 비록 국절은 있지만 북남관계가 개선되어가고 있는데 대하여 환영하면서 좋은 본위기 속에서 쌍방 합의사항들이 어김없이 이행

0039

- 1 -

되기를 진심으로 기대해 마지않고 있다.

우리민족 뿐 아니라 세계평화애호인민들도 조선반도에서 일어나고 있는 긍정적인 사태발전에 커다란 관심을 표시하면서 조선반도의 정세가 계속 완화방향으로 나가게 되기를 한결같이 바라고 있다.

그런데 최근 귀측이 대내외적으로 벌이고 있는 심상치 않은 행위들은 세상사람들에게 금후 북남합의서의 이행과 북남관계개선의 전도에 대하여 깊은 우려를 가지게 하고 있다.

이미 알려진 바와같이 귀측은 얼마전에 이른바 남한 조선로동당사건이라는 또하나의 반공화국모략사건을 조작.발표한데 이어 미국과 함께 연례안보협의회라는 것을 벌여놓고 대화일방인 우리를 걸고들면서 팀스피리트 합동군사연습을 재개하기로 하였을 뿐 아니라 남조선주둔 미군의 2단계 감축을 중지하고 남조선에 미국의 신속전개억제전력까지 전개하기로 하였다. 이것은 두말할 필요도 없이 좋게 진전되고 있는 북남대화를 가로막고 조선반도의 정세를 대결시대의 원점으로 되돌려 세우려는 극히 위험한 행위로서 화해와 완화,평화와 통일을 바라는 온 겨레와 세계평화애호인민들의 깊은 우려를 자아내고 있다.

북과 남의 2년여에 걸친 공동의 노력으로 마련한 역사적인 합의문건들의 이행을 눈앞에 두고 있는 때에 귀측이 반대화적이고 반통일적이며 사대매국적인 행위를 공공연히 자행한데 대하여 우리는 경악을 금할 수 없다.

우리측이 이미 명백히 한 바와같이 귀측이 요란스럽게 떠들고 있는 이른바 남한 조선로동당사건이라는 것은 오는 12월의 대통령선거에 대비할 목적으로 안전기획부가 꾸며낸 상투적인 정치모략극 이외에 다른 아무 것도

0040

- 2 -

아니다.

지금 귀측내부사정에 조금이라도 식견을 가진 사람들은 그 무슨 남한 조선로동당사건이라는 것이 대통령선거를 앞두고 민자당이 각계각층인민들로부터 배격당하고 있고 그 모두가 사분오열되어 가는 딱한 처지에서 충격요법을 써서라도 민심을 돌려세우고 민자당정권을 또 만들어내기 위해 고안해 낸 것이라는 사실을 너무나 잘 알고 있다.

남조선에서 선거를 하면 했지 우리를 걸고 그러한 불순한 정치모략극을 날조해내는 방법으로 이미 기울어진 대세를 역전시켜보려는 것은 개탄을 금할 수 없는 처사라 하지 않을 수 없다.

더우기 나는 귀측이 북남공동위원회들의 운영을 앞두고 그 어느때 보다 완화와 평화보장문제에 깊은 관심을 돌려야 할 시기에 미국에 까지 찾아가서 군사적 모의를 벌이면서 팀스피리트합동군사연습을 재개하기로 한 행위에 대하여 극히 엄중시하지 않을 수 없다.

어제는 동족인 우리와 마주앉아 불가침에 관한 부속합의서에 도장을 찍고 오늘은 돌아앉아 외세와 야합하면서 동족을 공격하는 전쟁연습을 하기로 약속한다는 것은 누가 보아도 이성을 가지고 하는 행동이라고 할 수 없다.

전쟁연습과 북남대화는 양립될 수 없는 것이다.

지난시기 팀스피리트합동군사연습이 진행될 때마다 북남대화들이 일시에 중단되거나 파탄되었던 사실을 귀측도 잘 알고 있을 것이다.

그런데 무엇때문에 북남기본합의서가 발효되기 이전에 벌써 중단하였던 군사연습을 부속합의서까지 채택.발효되어 본격적인 실천단계에 들어선

0041

오늘에 와서 굳이 재개하겠다고 하는지 우리로서는 도저히 이해할 수 없다.

특히 문제시 하지 않을 수 없는 것은 팀스피리트합동군사연습의 재개가 쌍방이 민족앞에 그 이행을 엄숙히 선포한 북남합의서와 비핵화 공동선언에 대한 완전한 유린으로 된다는 사실이다.

북과 남은 이미 북남사이의 화해와 불가침 및 협력.교류에 관한 합의서에서 정치.군사적 대결상태를 해소하여 민족적 화해를 이룩하고 무력에 의한 침략과 충돌을 막고 긴장완화와 평화를 보장하기로 약속하였으며 조선반도의 비핵화에 관한 공동선언에서 조선반도를 비핵화함으로써 핵전쟁위험을 제거하며 일체의 핵무기를 접수.사용하지 않기로 확약하였다.

북과 남은 또한 화해분야의 부속합의서 제5장 정전상태의 평화상태에로의 전환과 불가침분야의 부속합의서 제1장 무력 불사용과 제2장 분쟁의 평화적 해결 및 우발적 무력충돌방지에 관한 합의사항들에서 반평화적이고 대결지향적인 팀스피리트합동군사연습의 중지를 명백히 기정사실화하였던 것이다.

귀측의 이전총리가 올해2월 중순에 진행된 제6차 북남고위급회담에서 남북관계를 개선하고 긴장을 완화하기 위하여 팀스피리트합동군사연습을 중지하기로 하였다고 하면서 동족을 겨누었던 무기들은 하나씩 밭을 가는 쟁기로 바뀌어질 것이라고 한것도 바로 그러한 취지에서 한 발언이었다고 우리는 인정한다. 그러나 귀측은 민족앞에 다진 약속도,자신이 어제 한말도 다 뒤집어엎고 외세와 함께 범죄적인 핵전쟁연습을 재개하려 하고 있으니 도대체 귀측이 민족적 양심이나 신의가 있는가고 우리는 묻지 않을 수 없다.

- 4 -

0042

귀측은 이번에 우리의 있지도 않는 핵개발문제를 군사연습을 재개하는 구실로 삼았는데 그것 역시 누구의 공감도 받을 수 없는 것이다.

귀측이 떠드는 이른바 핵개발문제에 대하여 말한다면 그것은 애초부터 그 어떤 문제가 있어서가 아니라 미국이 자기의 불순한 정치적 목적을 위하여 꾸며낸 허구에 지나지 않는 것이다.

우리의 핵정책이 순수 평화적 건설에 목적을 두고 있다는 것은 이미 3차례에 걸친 국제원자력기구의 비정기사찰을 통하여 명백히 확증되었다.

그리고 북남 핵사찰이 아직 실시되지 못하고 있는 것도 그 책임이 전적으로 남조선에 있는 미국의 핵무기.핵기지에 대한 전면적인 사찰을 회피하고 있는 귀측에 있다는 것이 널리 알려져 있다.

그럼에도 불구하고 귀측이 이제와서 핵문제를 구실로 팀스피리트합동군사연습을 재개하려는 것은 철두철미 북남대화에 대한 파괴행위이고 북남합의서와 비핵화 공동선언에 대한 이행포기행위이며 우리에 대한 전면대결선언이라고밖에 우리는 달리 인정할 수 없다.

우리는 귀측이 동족과 마주앉아 훌륭한 합의문건들을 만들어놓고도 그것을 이행할 생각을 하지 않고 외세를 찾아다니며 그들과 반민족적인 전쟁연습을 모의하여 대화마저 파탄시키려 하는데 대하여 실망을 금할 수 없다.

동족과 한 약속보다 외세와의 야합을 더 귀중히 여기고 민족의 이익보다 외세의 이해관계를 더 앞세운다면 귀측은 사실상 자주적인 대화의 상대로 될 수 없다는 것을 알아야 한다.

귀측은 그 어떤 구실로서도 자기의 반대화,반평화,반통일행위를 합리화할 수 없으며 그에 대한 책임에서 벗어날 수 없다.

- 5 -

0043

이제 북남관게의 진전과 북남합의서와 비핵화 공동선언이 행어부는 전적으로 귀측의 앞으로의 태도여하에 달려있다.

나는 귀측이 이른바 남한 조선로동당사건이라는 것이 선거전략을 위해 꾸며낸 모략극이라는 것을 솔직히 시인하고, 사죄하며 우리를 반대하는 팀스피리트합동군사연습을 재개하기로 하고 남조선에 있는 미군의 감축을 백지화하기로 한 부당한 결정을 무조건 철회하여야 한다고 주장한다.

이와 함께 우리는 귀측이 내외인민들의 한결같은 요구대로 이인모노인을 즉시 송환하고 판문점이산가족면회소를 설치하며 북남관게를 진실로 개선하는 길로 나올 것을 촉구한다.

만일 귀측이 우리의 이 충고를 받아들이지 않고 끝내 대결과 전쟁의 길로 나간다면 그로부터 초래되는 모든 후과에 대하여 전적인 책임을 지게 될 것이다.

- 6 -

0044

공   란

공   란

공   란

공   란

공   란

공   란

공　　　란

공   란

공   란

공   란

공   란

공 란

공　　　란

長 官 報 告 事 項

報 告 畢

1992. 10. 20.
北 美 2 課 (84)

題 目 : 미 국방부 부차관 방한

I. Lewis Libby 미 국방부 정책담당 부차관 (Deputy Under Secretary of Defense for Policy)이 92. 10. 20~22간 방한 예정인 바, 관련 사항 아래 보고 드립니다.

---

o 주요 체한 일정

- 10. 21(수) 국방부 정책실장등 면담, 세종연구소 주최 만찬 참석

- 10. 22(목) 외교안보수석, 외무차관, 합참의장등 예방

o 수행원

- Dale A. Vesser 국방부 기획담당 부차관 보라라

- Zalmay M. Khalilzad 국방부 정책담당 부차관 보나는

- Sherman Garnett 국방부 CIS 담당 과장 외 2명

o Libby 부차관 인적 사항

- 생년월일 : 1950. 8. 22(코네티컷 출신)

- 학 력

  1972   예일대학 졸업

  1975   콜롬비아대학 졸업 (법학 박사)

- 경 력

  1976~81   변호사 활동

  1982~85   국부부 동아태국 특수사업 (Special Projects) 과장

  1986~92   국방부 전략담당 부차관

  1992~현재 국방부 정책담당 부차관

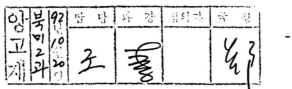

- 끝 -

0058

長 官 報 告 事 項

報 告 畢

1992. 10. 20.
北 美 2 課 (84)

題 目 : 미 국방부 부차관 방한

> I. Lewis Libby 미 국방부 정책담당 부차관 (Deputy Under Secretary of
> Defense for Policy)이 92. 10. 20~22간 방한 예정인 바, 관련 사항
> 아래 보고 드립니다.

o 주요 체한 일정

- 10. 21 (수) 국방부 정책실장등 면담, 세종연구소 주최 만찬 참석

- 10. 22 (목) 외교안보수석, 외무차관, 합참의장등 예방

o 수행원

- Dale A. Vesser 국방부 기획담당 부차관 보좌관

- Zalmay M. Khalilzad 국방부 정책담당 부차관 보좌관

- Sherman Garnett 국방부 CIS 담당 과장 외 2명

o Libby 부차관 인적 사항

- 생년월일 : 1950. 8. 22 (코네티컷 출신)

- 학 력

  1972   예일대학 졸업

  1975   콜롬비아대학 졸업 (법학 박사)

- 경 력

  1976~81   변호사 활동

  1982~85   국부부 동아태국 특수사업 (Special Projects) 과장

  1985~89   변호사 활동

  1989~91   국방부 전략담당 부차관

  1992~현재 국방부 정책담당 부차관

- 끝 -

0059

I. Lewis Libby

Honorable I. Lewis Libby was confirmed by the Senate on August 11, 1992, as Principal Deputy Under Secretary of Defense for Policy. As Deputy, Mr. Libby assists the Under Secretary across the range of his responsibilities and acts for him when he is absent.

Mr. Libby retains in his current position the responsibilities for policy planning, strategy and resource related matters, and Russian, Eurasian and East European affairs that he held in his previous position as Principal Deputy Under Secretary of Defense (Strategy and Resources).

He previously served in the United States Department of State as Director of Special Projects of the Bureau of East Asian and Pacific Affairs, 1982-1985, and as a member of the Policy Planning Staff in the Office of the Secretary, 1981-1982. He received the Department of State's Foreign Affairs Award for Public Service.

Prior to his service in the Department of Defense, Mr. Libby was a partner in the law firm of Dickstein, Shapiro & Morin in Washington, DC, 1985-1989. He also practiced law at the firm of Schnader, Harrison, Segal & Lewis in Philadelphia, Pennsylvania, 1976-1981.

Mr. Libby was graduated from Yale College (B.A., 1972) and Columbia University School of Law (J.D., 1975). He was born August 22, 1950, in New Haven, Connecticut. Mr. Libby is married and resides in McLean, Virginia.

Delegation Accompanying
U.S. Deputy Under Secretary of Defense for Policy
Mr. I Lewis Libby
October 20-22, 1992

LTG Dale A. Vesser (U.S.A., Retired), Assistant Deputy Under
Secretary, Resources and Plans, OSD.

Dr. Zalmay M. Khalilzad, Assistant Deputy Under Secretary, Policy
Planning, OSD.

Mr. Sherman Garnett, Director of Russian, Ukrainian, and Eurasian
Affairs, OSD.

LT COL John H. Folkerts, U.S. Air Force, Military Assistant to Mr.
Libby.

Mr. James J. Przystup, Special Assistant for East Asia, OSD.

VISIT OF
U.S. DEPUTY UNDERSECRETARY OF DEFENSE FOR POLICY
MR. I. LEWIS LIBBY
TO SEOUL
October 20-22, 1992

Tuesday, October 20

1915   Arrive Kimpo Airport via UA 803. Met by control
                officers Jim Pierce (Embassy) and COL Mike Wooley
                (USFK/J-5).

2030   Arrive/Check in at Hilton Hotel, tel. (82-02) 753-7788.

Wednesday, October 21

0800-0945   Country Team Meeting with key USFK/Embassy Personnel,
                Room 215, Combined Forces Command Headquarters,
                Yongsan Base.

0945-1050   Staff preparation time.

1100-1130   Meeting with LTG Kim Jae-chang, Asst. Min. for Policy,
                at Ministry of National Defense (MND).

1145-1245   Luncheon at Hartell House. Hosted by MGEN James
                Myatt, Asst. Chief of Staff, C/J-5, CFC, USFK.

1300   Depart for 2ID.

1700   Return from 2ID.

1900-2100   Dinner with Sejong Research Institute, including
                Embassy and USFK officers. (Place to be determined.)

Thursday, October 22

0745-0815   Meeting with LTG Crouch, Chief of Staff, UNC/CFC/USFK.

0830-0900   Meeting with LTG Chong Yong-taek, Chief Director,
                Strategic Planning, JCS at MND.

0900-0930   Meeting with GEN Lee Pil-sup, Chairman, Joint Chiefs
                of Staff at MND.

1000   Meeting with VF Minister Roe Chang-hee at MOFA

10:45   (~~Request for~~ meeting with national security advisor
                Dr. Kim Chong-whi ~~pending~~ at Blue House.)

.1215   Leave for airport.

1435   Depart Kimpo Airport.

0062

공   란

공   란

공   란

공 란

공   란

공   란

공　　　　　란

공   란

공 란

공   란

공   란

공   란

長 官 報 告 事 項

報 告 畢

1992. 10. 23.
美 洲 局
北 美 1 課(109)

題 目 : 한.미.일 3자관계 부산대학교 세미나

92.10.22-23간 부산대학교는 탈냉전하의 한.미.일 관계라는 주제로 세미나를 개최한 바, 외교분야 관련 주요 참석자의 주제 발표 내용등을 아래와 같이 보고드립니다.

1. 세미나 개요

   ○ 동 세미나는 Gregg 주한 미대사의 제안에 따라 개최되는 것으로, 주한 미 대사관 및 주한 일본 대사관도 동 개최에 협조

   ○ 당초 Gregg 주한 미대사 및 주한 일본대사가 참석 예정이었으나, 부산 대학생의 반발로 참석치 못함.
      - Gregg 대사는 10.24 유엔묘지에서 행사차 부산 방문중

   ○ John Merrill 국무부 정보조사국 동아.태 담당 분석관 및 Charles Doran SAIS대 교수가 외교분야 관련 주제발표를 함.
      - 주한 일본 대사관에서는 오가와 공보문화원장이 참석
      - 미 대사관측에서는 부산 미 문화원 관계자 참석

2. 주요 발표내용

   (한.미.일 3국간의 역사적 관계 : Merrill 발표)

   ○ 최근 한.미.일 3국관계를 보면, 한.미간에는 특별한 현안없이 원만한 관계를 유지하고 있으나, 한.일관계는 냉각되어 있는 것으로 관찰
      - 한국내에는 종군위안부, 무역 불균형 및 PKO 문제에 대한 우려와 불만 팽배
      - 일본내에서는 한국측의 과거사에 대한 계속적 사과 요구 및 기술 이전등에 있어 특별대우 요구에 대한 불만 팽배

0075

o 한.일관계가 냉각되고 있는 데에는 과거사의 유산이 해결되지 못하였으며,
   새로이 형성되는 동북아 지역질서내에서 한.일 양국의 위상이 정립되고
   있는데 따른 불확실성등 2가지 요인에 원인이 있음.
   - 수년내 남.북통일 또는 남.북간의 관계개선이 이루어지며, 이에따른
     한국의 국제적 위상증대 전망과 일본의 대북한관계 개선 및 유엔
     안보리 상임이사국 진출 움직임등 역할 강화 추세가 한.일 갈등
     요인
   - 미국의 대아시아 개입(Presence)이 장기적으로는 약화될 것이라는
     한.일 양국의 우려

o 한.미.일 3국의 장래에 대해서는 전통적 세력균형 모델과 상호의존성
   (interdependence) 모델등 상호배치된 시각에 따라 분석 가능

o 전통적 세력균형 시각은 향후 국제관계의 발전을 모색하는데 있어
   제한적이라고 보며, 한.미.일 3국 모두에게 도움이 되지 않는 시각임.

o 동아시아내 과거사·문제가 아직 있는데, 한국은 이러한 잔재 해소에
   있어 누구보다도 큰 성공을 거두었음.
   - 북방정책의 성공 및 남.북관계의 진전

o 미국도 북한과의 관계개선을 희망하고 있으나, 북한의 핵문제 해결 및
   기타 관계개선 조건을 북한이 수용하기 전에는 관계개선이 불가능할
   것임.
   - 미.북한 관계개선에 있어 미측은 어떤 시간계획도 갖고 있지 않음.

o 동아시아의 장래문제에 대한 검토는 매우 중요한 문제(high stakes)를
   다루고, 결정에 있어 상당한 시간을 요하는 것으로, 역내 국가간의
   비공식적 실무형(ad-hoc) 대화가 적절한 것으로 보여짐.
   - 공식적인 유럽방식의 조직체를 형성하는 것은 부적절
   - 노태우 대통령이 금번 유엔총회 연설에서 밝힌 「관련국 대화」도
     이와같은 맥락을 감안한 적절한 제안임.

0076

(지역세력으로 일본의 장래와 일본의 대미.대한관계 : Doran 교수 발표)

o 일본은 전세계적으로 경제적 이해를 갖고 있으나, 정치적으로나 안보면에
   있어 지역세력으로 지위를 갖고 있는 입장에 놓여 있음.

o 일본 자체도 현상태에서 타국들에게서 강요된 전세계적 역할을 맞기
   보다는 향후 일본이 생각하기에 적절한 시점에서 전세계적 역할을
   수행하려는 의사를 갖고 있으나, 이는 위험한 발상임.
   - 역사적으로 1차 세계대전 당시 독일처럼 권력주기(power cycle)
      상으로 권력의 하향기에 접어들었을 때, 세계적 역할을 맡으려는
      경향이 있고, 이경우 타국으로 부터 반발초래

o 일본은 전세계적 경제적 이익과 지역세력으로의 지위에서 오는 불균형을
   미국과의 견고한 안보관계 유지로 해소시켜 왔으며, 앞으로 미국과의
   안보관계를 중시할 것임.

o 일본은 동아시아 지역의 러시아나 중국과의 관계에 있어 갈등을 갖게
   될 가능성이 있으며, 러시아와 중국간의 양자관계를 자국에 이익이
   되도록 전술적으로 이용하려 할 것임.

o 북한의 핵문제는 남.북한 양자문제의 차원이 아니라 지역 전체의 안보
   문제이며, IAEA의 사찰범주를 넘어서는 남.북한 상호사찰의 실시가
   긴요함.

o 동북아 지역의 안정을 위해서는 한국이 북한내 전문관료(technocrats)들이
   북한 경제변혁을 이루도록 도움을 주어야 하며, 남.북한간의 경제.무역
   교류도 중요한 역할을 수행할 것임.

o 노대통령의 방중과 한.러관계 강화는 현명한(prudent) 정책일 뿐만 아니라
   전략적 의미가 있음.
   - 특히, 한반도내 비핵화 환경조성을 위해서는 남.북한간의 합의가
      주변 4강에 의해 보장되는 2+4 개념이 필요

o 향후 국제정세의 불확실성등을 감안, 한.미.일 3자간의 안보협력은 매우
   중요하다고 생각되며, 성공을 거둘 수 있다고 보여짐.

0077

3. 관찰 및 평가

    o 탈냉전 시대이후 동아시아내에는 불확실성의 요인이 있다는 전망에
       대해 의견의 일치가 있으며, 지역안정을 위해서는 역내 국가간의 비공식
       대화가 필요하며, 한.미.일 3국간의 협력이 중요하다는 점이 강조됨.
       - 동북아 관련국 대화, 6자 대화 필요성등 강조

    o 북한의 핵개발이 지역안정을 저해시키는 최대의 문제로 간주되고
       있으며, 남.북한 상호사찰 실시가 필수적이라는 인식이 학자층내에서도
       확고하게 부각됨.

    o 일본의 세계적 역할 수행 필요성에 대해서는 미국내 학계의 분위기를
       반영, 미측 학자들은 일본의 역할증대를 대체로 지지하는 입장을 표명

    o 한국의 북방외교 성공을 지역안정에 크게 기여하는 성과로 평가하고
       있으나, Doran 교수는 북방외교의 성공으로 인한 북한의 고립감 증대
       해소가 필요하고, 북한에 대한 탈출구 제공도 필요하다는 의견을
       개진함.

    o 세미나 리셉션시 Doran 교수등 미측학자는 클린턴 대통령이 집권하더라도
       그간 한.미, 미.일관계의 발전에 비추어 미국의 대한.대일 정책의 기본이
       바뀌지는 않을 것이라는 것이 미국내 아시아 전문가의 의견이라는 점을
       언급함.

                                                              - 끝 -

공　　　란

공   란

공　　　란

공   란

공   란

공　　　　란

공   란

공   란

공   란

공   란

2. 한.미국.일본 차관급 정부협의 (계획)

0089

공   란

공 란

공 란

분류번호	보존기간

발 신 전 보

번 호 : WJA-4142   921002 1845 FO 종별 지 급

                                                 WUS-4532

수 신 : 주   일   대사. 총영사   (사본: 주미대사)

발 신 : 장 관   (미일)

제 목 : 한.미.일 차관보급 정무협의

대 : JAW - 5206

1. 대호 표제협의를 10.31. 동경에서 갖자는 일측 제안과 관련,
우리측으로서는 동경 또는 서울 어느 곳이라도 무방하나, 미.일간에 협의, 상호
편리한 장소로 정하고 결과를 우리측에 알려주도록 일본 외무성측에 통보바람.

2. 표제협의회 일본측 참석자를 파악, 보고바람. 끝.
   (우리측은 제1차관보가 참석예정)

(미주국장 정 태 익)

예 고 : 92.12.31. 일 반

예고문에 의거 일반문서로
재분류 1992.12.31 서명

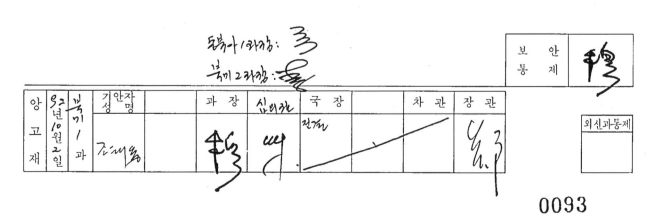

앙 고 재	92 년 10 월 2 일	북 미 1 과	기안자 성명		과 장	심의관	국 장		차 관	장 관
							전결			

보 안 통 제

외신과통제

0093

3ᵉㄴ

관리
번호 92-1782

외 무 부

종 별 :

번 호 : JAW-5304

일 시 : 92 1005 1446

수 신 : 장관(미일, 아일)

발 신 : 주 일 대사(일정)

제 목 : 한.미.일 협의

대: WJA-4142

1. 대호, 일 외무성측에 통보한 바, 일측은 미측과도 협의한후 아측에 통보키로 함

2. 일본측 참석자 문제등 구체사항은 추후 통보하겠다 함. 끝

(대사 오재희-국장)

예고: 92.12.31. 일반

미주국   아주국

* 원본수령부서 승인없이 복사 금지

92.10.05   18:52
외신 2과 통제관 CH

0094

관리 번호	PL-1286

외 무 부

종 별 :

번 호 : USW-4941

일 시 : 92 1006 1924

수 신 : 장 관 (미일)

발 신 : 주 미 대사

제 목 : 한.미.일 차관보급 정부협의

대: WUS-4532

1. 금 10.6. KARTMAN 국무부 한국과장 면담시 당관 임성준 참사관은 CLARK 동아태 차관보의 아주순방 일정 및 표제회의 계획이 구체적으로 결정되었는지 여부에 대해 문의하였던바, 동 과장은 아직 순방시기에 대해 최종 결정을 내리지 못하였다고 하면서, 현재로서는 동 차관보의 아주순방이 11.11. 정도부터 가능할 것으로 보인다고 말함.

2. 이어 동 과장은 CLARK 차관보가 11.16 에는 브루나이를 방문토록 예정되어 있기 때문에 전체적으로 꽉짜인 순방일정이 될 것이라고 하면서, 표제회의 장소가 한국, 일본중 어느나라로 결정되어도 무방하나, 동 차관보 일정을 감안, 양 방문국중 마지막 기착지에서 가지는게 좋다는 것이 미측 의견이라고 말하고, 아직까지는 일본측으로 부터 동 회의 개최에 대한 요청을 접수치 않고 있다고 언급함.

3. 이에대해 임참사관은 금번회의는 과거 3 국이 가져온 핵문제 협의와는 달리 아주지역 문제 전반을 광범위하게 다루는 성격의 회의가 되어야 할 것이라고 재차 강조하였던바, KARTMAN 과장은 이에 동감을 표시하고, CLARK 차관보 순방 일정등이 결정되는 대로 즉시 아측에 통보할 것을 약속하였음. 끝.

(대사 현홍주-국장)

예고: 92.12.31. 일반

예고문에의거일반문서로
재분류 1992.12.31 서명

미주국	장관	차관	1차보	분석관

* 원본수령부서 승인없이 복사 금지

92.10.07   10:11

외신 2과 롱제관 CM

0095

외 무 부

종 별 : 지 급

번 호 : USW-5029   일 시 : 92 1009 1854

수 신 : 장관(미일) 사본:주일대사-본부중계

발 신 : 주 미 대사

제 목 : 한.미.일 차관보급 정무협의

연 : USW - 4941

1. 금 10.9. KARTMAN 한국과장은 당관 임성준참사관 면담시, 연호 CLARK 차관보의 아주순방 일정을 아래와 같이 잠정 계획하고 있음을 알려왔음.

11.11(수) 미국출발

12(목) 저녁 동경도착

13(금) 미.일 양자협의

14(토) 서울도착

14-15(일) 한.미.일 3 자협의

16(월) 한.미 양자협의

오후 이한

2. 동 과장에 의하면 CLARK 차관보는 최근 뉴욕에서 IKEDA 일본외무성 아주국장을 면담, 상기 일정안을 제시하였으며, IKEDA 국장도 이에 동의하여 11.14. 자신이 방한하는 것으로 양해하였다고 함.

3. 동 과장은 금번 3 자협의는 매우 편안한 분위기(INFORMAL SETTING)속에서 최근 동북아 정세변화 전반에 관한 솔직한 의견 교환을 목적으로 하고 있는 만큼, 미측으로서는 회의장소도 서울이 아닌 적절한 장소를 아측이 재의하는 경우에 이에 따 VDV 예정이라고 말함.

4. 또한 동 과장은 동 회의 의제로서 (1) 동북아 정세변화 전반 개관 및 3 국이 우려하는 문제논의(북한핵, 일본의 플로토니움 반입, 동북아 4 강체제 변화등), (2) 동북아에서의 미국의 장기적 역할 (3) 주월러의 변화등이 적절할 것으로 본다고 하면서, 아측도 의견을 제시해 줄 것을 요청하였음. 끝.

(대사 현홍주 - 국 장)

미주국	장관	차관	1차보	외정실	분석관	청와대	안기부	중계

PAGE 1   92.10.10   08:38

외신 2과 롱제관 CM

0096

예 고 : 92.12.31. 일반.

0097

長 官 報 告 事 項

題目 : 한·미·일 차관보급 정무협의

미 국무부측은 클라크 동아·태 차관보의 92.11.14 - 16간 방한을 계기로
표제 3자 협의를 서울에서 개최할 것을 희망해 왔는 바, 미측의 희망을
감안한 협의개최 계획을 아래와 같이 보고드립니다.

1. 협의개최 계획(안)

가. 한·미·일 3자 협의

- o 기 간 : 11.14 (토) - 11.15 (일)

- o 장 소
  - 〔제 1안〕 서울시내 호텔
  - 〔제 2안〕 서울 근교 호텔 (예: 경기도 이천 미란다 호텔)
    * 미측은 informal setting을 위해 서울이 아닌 장소 선호 시사

- o 참석자
  - 우리측 : 신기복 제 1차관보, 정태익 미주국장
  - 미 측 : 클라크 국무부 동아·태 차관보
  - 일 측 : 이께다 외무성 아주국장
    * 각국별 실무자 3-4명 참석

- o 토의 의제 (미측 제의)
  - 동북아 정세 변화 전반 개관 및 3국이 우려하는 문제 (북한 핵,
    ✓ 일본의 플루토늄 반입, 동북아 4강 체제 변화등)
  - 동북아에서 미국의 장기적 역할
  - 중국 및 러시아의 변화

0098

나. 한·미 양자 협의

　　ㅇ 일　　자 : 11.16 (월) 오전
　　ㅇ 장　　소 : 외무부 회의실
　　ㅇ 참 석 자 : 3자 협의시 한·미 양측 참석자와 동일

　　※ 장관님 별도 예방 주선

　　◈ 참　　고 : 클라크 동아·태 차관보 아주순방 일정
　　　　- 11.11.　　　　미국 출발
　　　　- 11.12 - 14　　일본 방문 (11.13. 미·일 양자 협의)
　　　　- 11.14 - 16　　한국 방문
　　　　- 11.16 (오후)　브루나이 향발
　　　　　* 이후 순방 일정 파악중

2. 조치 사항

ㅇ 미·일측과 3자 및 양자협의 일정 및 의제등 협의 확정
ㅇ 클라크 차관보의 장관예방 일정 마련 및 여타 미측의 희망에 따라 구체
　일정 확정
ㅇ 이께다 아주국장의 장관예방 일정 마련 (아주국과 협조)

3. 언론 대책

ㅇ 11월초 클라크 차관보의 방한 및 3자 협의 개최 사실 프레스 릴리스
　검토
　- 대언론 보안 유지의 어려움
　- 사실 및 간략한 개요만 공개
　　* 미·일측과 협의 필요

- 끝 -

예　　고 : 92.12.31. 일　　반

0099

외 무 부

관리번호 92-188

종 별 :

번 호 : USW-5095　　　　　　　　　　　일 시 : 92 1014 1849

수 신 : 장관(미일,미이,동구일)

발 신 : 주 미 대사

제 목 : 국무부 한국과장 면담

　　당관 임성준 참사관은 금 10.14. 국무부 KARTMAN 한국과장과 면담, CLARK 동아태 차관보 방한 일정등에 관하여 협의하였는 바, 요지 아래 보고함. (이하 동과장 발언내용)

　　1. CLARK 차관보 방한

　　. CLARK 차관보는 현재 계획상 11.14(토)오후 12:25 서울 도착예정이므로 한.미.일 3 자 협의회는 오후 3 시경부터 가지는 것이 좋을 것으로 보며, 한국측 주최 업무만찬에서 협의를 계속하되 필요에 따라 11.15(일)에 회의를 계속 하여도 무방함.

　　. 미측참석자는 CLARK 차관보외에 KARTMAN 한국과장, DEMMING 일본과장등이 될 것인 바, KARTMAN 과장은 11.11(수) 별도 방한하여 양자 실무협의등 필요한 활동을 가질 예정임.

　　. 금번 3 자 협의회시 노대통령이 유엔 연설에서 제안한 바 있는 동북아 유관국 대화 방안의 실천 계획에 관하여도 의견 교환하는 것이 좋겠음.

　　2. 동경개최 CIS 원조회의

　　. 금월하순 동경에서 개최되는 CIS 원조회의에 미국 수석대표로 EAGLEBURGER 국무장관 대리가 참석 예정인 바 한국측에서 외무부장관 또는 차관급이 참석하는 경우 양자회의를 가지고자 하므로 한국 정부 대표단 구성에 관하여 알려주기를 희망함.

끝.

(대사 현홍주 - 국 장)

미주국	장관	차관	1차보	미주국	구주국	분석관	청와대	안기부

예고: 일반 92.12.31.

분류번호	보존기간

발 신 전 보

번 호 : WUS-4711   921015 1904 FY   종별 지 급

수 신 : 주 미 대사. 봉영사   (사본 : 주일대사) 비A-4317

발 신 : 장 관
(미 일)

제 목 : 한. 미. 일 차관보급 정무협의

대 : USW - 5029, 5095

1. 대호, 미 국무부측이 제안한 내로 11.14(토) 서울에서 표제
3자협의를, 11.16(월) 한.미 양자협의를 갖는데 대하여 우리측이 동의함을
미측에 통보바람. 또한 의제와 2212는 미측구상에 의의없으며 양장
~~3자협의시 토의 의제를 중심으로 그밖에 참고 없으므로, 톤톤 자료 관심사실 찾아~~
~~현의시 의제는 제반 현안 해결과 재제를 발견하여 지적 복지시 의의있으니 이상되 산것을.~~
자위협지 의견을 교환하고자 하는바, 미측이 특별히 거론코자 하는 목제가
2. 대호 미측의견을 감안하여 우리측이 준비중인 일정은 다음과 같음. 있으면
보고바람.

 ○ 11.14(토) 15:00-18:00   3자협의(장소 추후 통보)

        19:00   제1차관보 주최 업무만찬(장소추후통보)

 ○ 11.16(월) 09:30   클라크차관보 외무장관 예방

        10:00-12:00   한.미 양자협의 (외무부 회의실)

3. Clark 차관보와 이께다 국장이 같은기간 방한하게 되면 3자협의
사실의 대언론 보안 유지가 용이치 않을 것으로 예상되며 또 협의 목적등과
관련 불필요한 억측이 보도될 가능성이 있음. 이에따라, 사전에 3자협의
사실과 간략한 개요를 언론에 프레스릴리스하는 문제를 검토코자 하는 바,
미국과 일본측의 의견이 어떤지 파악 보고 바람.

/////// 계 속 ///////

제1차관보:
북미2과장: 아주국장:

| | 보안통제 | |

양고재	92년 10월 15일	기안자 성명		과 장	심의관	국 장		차 관	장 관	
	북미1과	조태용								외신과통제

0102

4. 회의장소와 관련 우리측으로서는 참석자들의 편의를 감안 우선 서울 시내호텔로 하는 것을 고려중임. 다만 언론의 지나친 관심 집중 가능성에 대비, 미측이 희망할 경우에는 서울 근교 호텔등 다른장소를 물색하는 방안도 검토중인바, 이에 대한 미측 의견을 아울러 파악, 보고바람.

5. 클라크 차관보의 아주순방 전체일정과 ~~11.16 한. 미 양자 협의시 미측의 토의 희망 의제를~~ 파악, 보고바람.   - 끝 -

(미주국장 정 태 익)

예 고 : 92.12.31. 일 반

외 무 부

종 별 :

번 호 : USW-5126

일 시 : 92 1015 2022

수 신 : 장 관 (미일, 미이, 정특)

발 신 : 주 미 대사

제 목 : 국무부 한국과장 면담

당관 임성준 참사관은 금 10.15. 국무부 KARTMAN 한국과장과 한. 미.일 3 자 협의회 개최 문제등에 관하여 협의하였는바, 요지 아래 보고함.

1. 한. 미.일 3 자 협의(대: WUS-4711)

- 임참사관은 우리측이 준비중인 일정을 통보하면서 회의 장소로 서울 인근지역이 될 가능성도 있음을 아울러 설명하였던바, 동 과장은 우리측이 준비하는대로 따를 것이며 회의형식에 구애됨이 없이 각국이 생각하고 있는 제반 관심사항이 충분히 토의되는 것이 중요할 것이라는 견해를 피력하였음.

- 미측은 동 협의 개최에 관한 간략한 대외 발표에 이의가 없다고 말하고, 3국이 동시에 발표할 필요는 없으므로 우리측이 발표 계획을 사전에 통보해주면좋겠다고 말하였음.

미주국	장관	차관	1차보	미주국	외정실	분석관	청와대	안기부

92.10.16   10:18
외신 2과 통제관 FR
0104

공 란

외 무 부

종 별 :

번 호 : JAW-5521   일 시 : 92 1016 1409

수 신 : 장 관(미일, 아일 사본:주미대사-중계필)

발 신 : 주 일 대사(일정)

제 목 : 한.미.일 차관보급 정무협의

대:WJA-4317

1. 대호 3 항, 표제건에관해 사전에 간략히 언론에 프레스릴리 하는데 대해 일측으로서는 특별한 이견이 없다함.

2. 한편 일측은 이께다 국장이 참석할수 있도록 노력하겠으나, 동시기가 일본 국회가 개회중인 관계로, 만약 참석 불가능시에는 아주국 다께나까 심의관이 국장대리로 참석하거나 가와시마 주한공사가 참석할 가능성도 있다하니 참고바람.끝.

(대사 오재희-국장)

예고:92.12.31. 일반

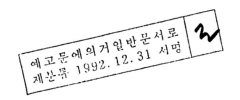

예고문에의거일반문서로
재분류 1992. 12. 31 서명

미주국   아주국   중계

PAGE 1
* 원본수령부서 승인없이 복사 금지

92.10.16   15:24
외신 2과 통제관 BS
0106

외 무 부

종 별 :

번 호 : JAW-5573   일 시 : 92 1019 1850

수 신 : 장관(미일 아일) 사본:주미대사-본부중계필

발 신 : 주 일 대사(일정)

제 목 : 한.미.일 정무협의

연:JAW-5521

1. 연호 11.14(토)표제협의 관련, 일 외무성측은 국회사정상 이께다 국장 참석이 어려울 가능성이 크다고 하면서, 따라서 아주국 다께나까 심의관을 국장대리로 참석시키기로 내정하였다고 알려왔음.

2. 일측은 다께나까 심의관이 11.5-6 간 북경개최 제 8 차 일.북 수교회담 차석 대표로 참석하므로 표제협의시 동수교회담에서의 핵문제에 대한 북한측 입장등을 설명하게 될것이라고함

(대사 오재희-국장)

예고:92.12.31. 일반

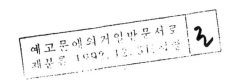

미주국   아주국   중계

PAGE 1   92.10.19   19:06

외신 2과 통제관 FR

0107

관리번호 92-2743

외 무 부

종 별 :

번 호 : USW-5205

일 시 : 92 1021 1854

수 신 : 장 관 (미일, 미이) 사본 : 주 일 대사-중계필

발 신 : 주 미 대사

제 목 : 한국과장 면담

당관 임성준 참사관은 금 10.21 국무부 한국과장을 면담, 한. 미. 일 3 자 협의 일정등에 관해 협의한 바, 요지 아래 보고함.

1. 3 자협의

. CLARK 차관보 일정

- 11.11(수) 출국, 11.14(토) 까지 방일

- 11.14(토)-16(월) 방한

.. 도착 11.14 12:25 (JAL951 편)

.. 출발 11.16 19:30(N.W.19 편 마닐라 향발)

.. 토요일 오후 서울도착직후 3 자 협의르 개시 WORKING DINNER 로 연결(필요시 일요일에도 3 자협의를 속개 WORKING LUNCH 까지 계속 용의)

.. 월요일(16)은 한. 미 양자협의에 할애

- 11.16-17 만닐라 방문, 17-18 브루나이 방문(미- ASEAN 협의회 참석), 18 일 싱가폴 경유 19 일 워싱턴 귀환 예정

. 3 자협의시 KARTMAN 한국과장, DEMMING 일본과장 및 주한 미 대사관 관계관 참석예정

. 의제관련 부내 의견을 조정중인바, 앞으로 아측과도 협의키로 함.

2. 동경개최 CIS 원조회의

. 원조회의기간중 EAGLEBURGER 장관과의 양자회담 요청이 너무 많아 현재 장관실에서 양자 회담 대상을 조정중에 있는 바, 동 조정이 끝나는 대로 주일 미 대사관에 필요한 지시를 하게 될 것임.

3. 9 차 JNCC

. 3 차 JNCC 에서의 아측 대응방침과 관련 미관계 부서의 의견을 종합한

미주국   장관   차관   1차보   미주국   분석관   청와대   안기부   중계

92.10.22   08:37

* 원본수령부서 승인없이 복사 금지

외신 2과 통제관 FS

0108

검토의견을 공식 제시하기에는 시일이 너무 촉박하나 전반적으로 아측 입장에 이견이
없음.

　　(대사 현홍주-국장)

　　예고 : 일반 92.12.31.

분류번호	보존기간

발 신 전 보

번 호 : WUS-4830   921024 1520 FQ   종별 :

WJA -4482

수 신 : 주   미   대사. 총영사   (사본 : 주일대사)

발 신 : 장   관   (미 일)

제 목 : 한.미.일 차관보급 정무협의

대 : USW - 5205

1. 주한 미대사관 러셀 1등 서기관은 10.23. 오후 ~~본직~~을 방문,
표제관련 미측 의견을 알려 왔는 바, 이를 토대로 협의한 결과 표제회의를
~~잠정적으로~~ 아래와 같이 추진키로 하였으니 참고바람.

가. 일   정

   o 11.14 (토) 15:30 - 17:30   3자 협의
                  19:30   제 1차관보 주최 ~~업무~~만찬

   o 11.15 (일) 10:00 - 12:00   미측주최 brunch회의 (잠정)
      - 당초 미측은 오전회의 및 오찬을 제시해 왔으나, 협의
        결과 brunch 회의로 하기로 함.

//// 계   속 ////

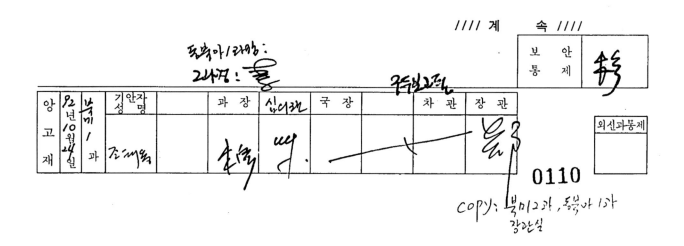

보안 통제	초등

앙 고 재	82 년 10 월 24 일	북미1 과	기안 성명	조재욱	과 장		국 장		차 관		장 관		외신과통제

0110

COPY: 북미2과, 동북아 1과
     장관실

ㅇ 11. 16 (월)   09:30   클라크 차관보 장관 예방

              10:00 - 12:00   한.미 양자 협의

ㅇ 미측은 11. 16 (월) 차관 주최로 북한관계 고위 실무자들이 참석하는
  업무 오찬을 개최해 줄 것을 희망해 와 검토중인 바, 확정시 추보
  예정임.

나. 장   소

  ㅇ 서울시내 호텔 (추후 확정 통보)
  ㅇ 단, 회의장소는 언론에 공개하지 않음.
  ㅇ 양자 협의 장소는 외무부 회의실로 계획중

다. 언론발표

  ㅇ 3자 참석자등 확인후 내주중 회의개최 사실을 간략히 발표 예정

                    //// 계   속 ////

                    0111

라. 토의 의제

이 다섯 그룹이 대세는 희망해 온다, 아주 그래서 이디 곤란은 없으나

ㅇ 미측 제시 의제를 토대로 아래와 같이 하기로 함.

관계관에서 제기 희망하는 의제가 있으면 보고바람

- 중국 및 러시아의 내부정세

- 미국 대통령 선거 이후 미국의 대 동북아시아 정책

- 북한핵 문제 현황 평가 및 핵문제 이후 대북 정책 문제

████████████████████

- 동북아 경제권 또는 경제 공동체 형성 문제

· 남화 경제권과 비교

· 미측은 특히 러시아 연해주 개발 지원에 깊은 관심 표명

2. 표제 협의시 우리측 참석자는 제 1차관보, 미주국장, 북미 1,2 과장,
으로 계획중이바
아주국 관계관, 주미대사관 정무참사관으로 계획중인 바, 미.일측 최종
참석자 명단을 파악, 보고바람. 아울러, 귀관 정무참사관의 본부 출장
준비 바라며, 워싱톤 - 서울 왕복(2등) 항공료 및 서울 숙직 출발 일정
보고바람. 끝.

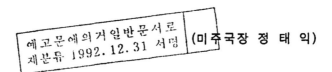

예고문에의거 일반문서로
재분류 1992. 12. 31 서명 (미주국장 정 태 익)

예   고 : 92. 12. 31.   일   반

0112

외 무 부

110-760   서울 종로구 세종로 77번지 ____/____ (02) 720-2321 ____/____ (02) 720-2686

문서번호   미 일 0160 - 1875

시행일자   1992. 10. 26.

（경 유）

수 신   수신처 참조

참 조

취급		국 장	
보존			
심의관	*서명*	*서명*	
과 장	*서명*		
기 안	조 태 용		협조

제 목   한·미·일 차관보급 정무협의

표제 협의가 92.11.14-15간 서울에서 개최될 예정인 바, 아래 토의 의제(안)중 귀국 소관 사항에 대한 자료를 작성, 가능한 11.3.까지 송부해 주시기 바랍니다.

- 아 래 -

о 토의 의제 (안)

- 중국 국내정세 (아주국)

- 러시아 국내정세 (구주국)

- 핵문제 이후 대북한 정책 방향 (외정실)

████████████████████████████

- 동북아 경제권 또는 경제공동체 형성문제 (국제경제국)

· 남화 경제권 형성 동향

· 러시아 연해주지역 개발 동향 및 아국의 참여

첨 부 : 작성 요령

- 끝 -

미 주 국 장

예 고 : 92. 12. 31. 일반

수 신 처 : 외정실장, 아주국, 구주국, 국제경제국장

0113

작 성 요 령 (예)
================

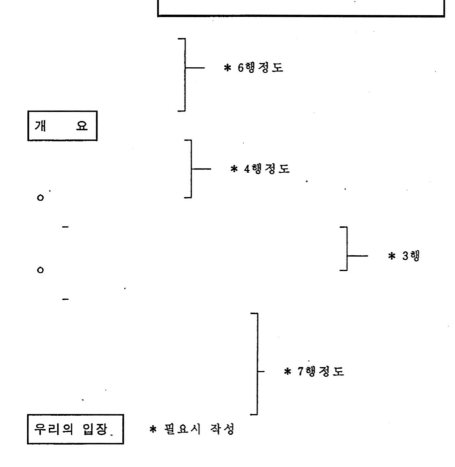

미 대통령 선거 이후 미국의 동북아 정책

개 요

　　　　　　* 6행 정 도

　　　　　　* 4행 정 도

　　　　　　　　　　　　　* 3행

　　　　　　* 7행 정 도

우리의 입장　　* 필요시 작성

참 고

※　A4 용지, 국문으로 작성 (수퍼명필, 고딕체)

※　말씀요지는 당국에서 작성 예정

0114

Clark 국무부 동아·태 차관보를 위한 차관님 주최 오찬(안)

===

1. 일   시 : 92.11.16(월)   12:15

2. 장   소 : 롯데 호텔 2층 Athenee Garden

3. 참 석 자

(아측: 8명)

     o 차관님

     o 공로명 외교안보연구원장, 임동원 통일원 차관, ~~이동복 투보~~,

       박용옥 국방부 군비 통제관 (748-6382)

     o 1차보, 미주국장, 북미 1과장 또는 2과장 (기록)

(미측: 5명)

     o Clark 차관보, Demming 국무부 일본과장

     o Gregg 대사 (또는 Burghardt 공사), Hendrickson 참사관,

       Russel 1등 서기관

4. Table :   Round Table 1개

5. 메   뉴 : 양식 Set Menu (별 첨)

앙고자	92.11월29	담당 노덕일	과장	심의반	국장	차관보	차관	장관

0115

관리
번호 PL-1904

발 신 전 보

번 호 : WUS-4919 921102 1913 FY 종별 : 자 급 WJA-4655

수 신 : 주 수신처 참조 <del>대사.총영사</del>

발 신 : 장 관 (미 일)

제 목 : 한.미.일 차관보급 정무협의

대 : USW - 5126, JAW - 5521

연 : WUS - 4830, WJA - 4482

클라크 미 국무부 동아.태 차관보 방한 및 표제협의 개최와 관련,

아측은 11.5(목) 아침 아래 내용으로 언론에 설명코자 하는 바, 이를 귀

주재국 외무부측에 사전 통보하고, 특별한 의견이 있는 경우 지급 보고바람.

- 아 래 -

o William Clark 미 국무부 동아.태 차관보가 오는 92.11.14-16간 방한한다.

 Clark 차관보의 방한은 차관보 취임후 소관지역의 정세 파악을 목적으로

 하는 실무적 방문(field trip)의 일환이며, 동 차관보는 한국에 머무르는

 동안 이상옥 외무부 장관 예방등 일정을 가질 예정이다.

o Clark 차관보의 동아시아 지역 방문을 계기로, 한.미.일 3국은 냉전종식

 이후의 동북아 정세변화등 공통관심사에 관한 공동의 인식과 이해를 넓혀

 나가기 위하여 3개국 외무부 고위실무자간의 협의를 서울에서 개최할 예정이다.

o Clark 차관보는 이번 동아시아 지역 순방에서 한국과 함께, 일본, 필리핀,

 브루나이등을 방문한다. 끝.

(미주국장 정 태 익)

수신처 : 주미대사, 주일대사

예 고 : 1992. 12. 31. 일반

예고문에의거일반문서로
재분류 1992.12.31 서명

	기안자 성명	과 장	국 장		차 관	장 관	
앙 고 재	조재일	심인란	전결				보안 통제

0116

외 무 부

110-760 서울 종로구 세종로 77번지   /   (02) 720-2321   /   (02) 720-2686

문서번호 미일 0160-*1905*

시행일자 1992. 11. 3.

수   신 수신처 참조

참   조

취급		국 장
보존		
심의관		
과 장	싸인	
기안	조 태 용	협조

제   목 한·미·일 차관보급 정무협의

표제협의시 아측 입장자료 작성을 위하여 아래와 같이 관계 실·국
협의를 갖고자 하니 참석하여 주시기 바랍니다.

- 아   래 -

1. 일시 및 장소 : 92. 11. 5. (목) 10:30 제1차관보실

2. 주   재 : 제1차관보

3. 참   석   자

  o 미주국장, 북미1,2과장

  o 외교정책기획실(제3정책심의관 또는 특수정책과장)

  o 아주국(심의관 또는 동북아1과장)

예   고 : 1992. 12. 31. 일   반

미   주   국   장

수 신 처 : 외교정책기획실장, 아주국장
           (사본 : 북미 2과장)

분류번호	보존기간

발 신 전 보

번   호 : WUS-4990   921106 1356 WG 종별 : 지급

WJA -4740

수   신 : 주 미, 일 대사. ~~총영사~~
          ~~수석 참조~~

발   신 : 장 관
          (미 일)

제   목 : 한.미.일 차관보급 정무협의

연 : WUS - 4830 ①, 4919 ②
     WJA - 4482

1. 연호를 토대로 아측이 준비중인 표제협의 세부계획을 아래 통보하니,
귀주재국 외무부측과 협의하고, 결과 보고바람.

가. 의 제

o 연호 ① 의제에 "한.미.일 3자 협력 및 역내 다자 정치.안보협력" 대라
   추가

나. 참 석 자

o 아측은 제 1차관보, 미주국장, 북미1, 2과장, 동북아 1과장,
   특수정책과장 참석 예정

o 일측 참석자가 확정되면 보고바람. (주일대사관)

/ ... 계 속

아주국장: 전 제1차관보

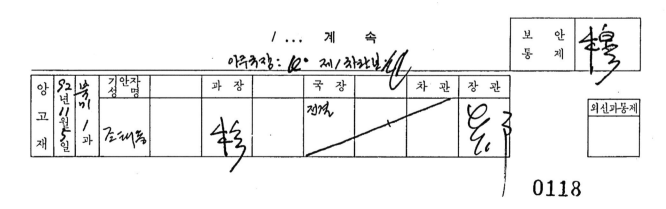

앙 고 재	82 년 11 월 5 일	북 미 1 과	기안자 성 명	과 장	국 장	차 관	장 관	보 안 통 제
			조대풍		전경			
								외신과통제

0118

다. 3자 협의 일정

○ <u>11.14(토)</u> 15:00-17:30 1차 회의 (신라호텔)

- North Korean issues (아측 리드)

· Nuclear issue

· Policy coordination beyond the North Korean
  nuclear problem

███████████████████

19:30 제 1차관보 주최업무 만찬 (신라호텔)
- US policy towards Asia under the new
  administration (미측 리드)

○ <u>11.15(일)</u> 09:00-11:00 2차 회의 (신라호텔)

- Situation in China (일측 리드)

- Situation in Russia (미측 리드)

- Trilateral cooperation and regional politico-
  security dialogue (아측 리드)

- Regional economic cooperation (일측 리드)

/ ... 계   속

0119

라. 한.미 양자협의

　　ㅇ 11.16(월) 10:00-11:00 외무부 회의실

　　　　　　　　- Issues of bilateral concern

　　　　　　　　　· security, North Korea, trade

　　　　　　　　- Wrapping up Trilateral discussions

　　2. 상기 협의외에 클라크 차관보 방한 일정은 다음과 같음.

　　ㅇ 11.16(월)　　　　　주한미 상공인과의 조찬
　　　　09:30　　　　　　외무장관 예방
　　　　12:15　　　　　　외무차관 주최 오찬 (롯데호텔)
　　　　14:30　　　　　　외교안보수석 비서관 면담
　　　　15:30　　　　　　경제수석 비서관 면담
　　　　16:30　　　　　　기자회견 (미 정)

　　ㅇ 차관주재 오찬시는 아측에서 통일원 차관, 경기원 차관, 외교
　　　안보연구원장, 제 1차관보, 미주국장, 국방부 군비통제관등이
　　　참석 예정임.

　　3. 클라크 차관보 방한 및 협의개최 사실은 연호 ② 요지로 금 11.5
　국내언론에 설명함. (단, 3자 협의 장소 및 구체시간표는 계속 보안 유지)

　　　　　　　　　　　　　　　　　　　　　　　　- 끝 -

예고문에의거일반문서로
재분류 1992.12.31 서명 2

　　　　　　　　　　　　　　　　　　(미주국장 정 태 익)

예 고 : 1992. 12. 31. 일 반

보 도 자 료
외 무 부

제 280 호　　　문의전화 : 720-2408~10　　보도일시 : 92. 11. 5. 15 : 00 시

제 목 :　미 국무부 동아.태 차관보 방한

○ William Clark 미 국무부 동아.태 차관보가 오는 92.11.14-16간 방한한다.
Clark 차관보의 방한은 차관보 취임후 소관지역의 정세 파악을 목적으로
하는 실무적 방문(field trip)의 일환이며, 동 차관보는 한국에 머무르는
동안 이상옥 외무부 장관 예방, 한·미 차관보급 정책협의등 일정을 가질
예정이다.

○ Clark 차관보의 동아시아 지역 방문을 계기로, 한.미.일 3국은 냉전종식
이후의 동북아 정세변화등 공통관심사에 관한 공동의 인식과 이해를 넓혀
나가기 위하여 3개국 외무부 고위실무자간의 협의를 서울에서 개최할
예정이다.

○ Clark 차관보는 이번 동아시아 지역 순방에서 한국과 함께, 일본, 필리핀
등을 방문하며, 현 아세안 의장국인 브루나이를 방문, 연례 미.아세안
협의회에 참석할 예정이다.

- 끝 -

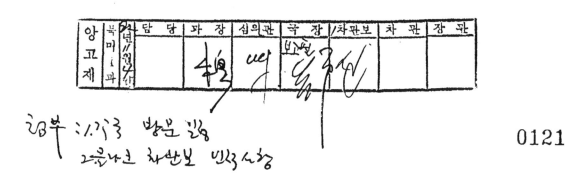

0121

Clark 차관보 각국 방문일정

o 11.11(수) - 14(토)   일본 방문

o 11.14(토) - 16(월)   방 한

o 11.16(월) - 17(화)   필리핀 방문

o 11.17(화) - 18(수)   브루나이 방문
   - 미.아세안 연례협의회 참석

0122

$$\boxed{\text{인 적 사 항}}$$

o 성   명 : William CLARK, Jr. (남)

o 생년월일 : 1930. 10.12(62세)

o 출 생 지 : 캘리포니아주

o 학   력

   1955   :   San Jose 주립대졸업

   1967 - 68 :   콜롬비아대 대학원 수학(동북아문제연구)

   1977   :   National War College 수학

o 경   력

   1957 -   :   국무부 입부

   1972 - 74 :   주일대사관(미.일 무역문제담당)

   1974 - 76 :   국무부 경제국

   1977 - 80 :   주한대사관 정무참사관

   1980 - 81 :   국무부 일본과장

   1981 - 85 :   주일대사관 공사

   1985 - 86 :   주이집트대사관 공사

   1986 - 89 :   국무부 동아.태담당 부차관보

   1989 -   :   주인도 대사

o 가족관계 : 부인 및 1남

o 특기사항 : San Jose 주립대 재학시, 한국전쟁 기간중 3년간
                해군복무

0123

2. Kartman 미 국무부 한국과장 방한 일정

11.11 (수)   o 착   한

11.12 (목)   o 미주국장 주최 오찬 (플라자 호텔 '아사달')

          * 참 석 자 (7 명)

            · 아   측 : 국장, 공보관, 북미1, 2과장
            · 미   측 : Karman 과장, Pierce, Russel
                          서기관

          o 김종휘 외교안보 수석 비서관 예방 검토 (Gregg 대사 동행)

            * 아측, 부정적 의견 전달

11.13 (금)   o 외교안보연구원장 주최 오찬

         - 홍정표 국장, 강근택 심의관 포함

       o 면담일정 (마련중)

         - 정재문, 정몽준, 김윤환, 조순승 의원등

11.14 (토)   15:00 - 17:30   3자 협의

             19:30   제 1차관보 주최 만찬

11.15 (일)   09:00 - 11:00   3자 협의

            이   한

0124

Ⅲ. Clark 차관보 및 Kartman 과장 일정

1. Clark 차관보 체한 일정

11.14 (토)   착   한

           15:00 - 17:30   3자 협의

           19:30   제 1차관보 주최 만찬

11.15 (일)   09:00 - 11:00   3자 협의

11.16 (월)   미 상공회의소 방문

           09:30   외무부장관 예방

           10:00 - 11:00   양자 협의

           11:30   경기원 차관 면담 (추진)

           12:15   외무부 차관 주최 오찬

           14:30   외교안보 수석비서관 면담

           15:30   이진설 경제 수석비서관 면담

           16:30   기자회견 (미정)

           이   한

0125

長 官 報 告 事 項

報 告 畢

1992. 11. 5.
美 洲 局
北 美 1 課(119)

題 目 : 미 국무부 동아.태 차관보 방한일정

92.11.14-16간 방한하는 William Clark 미 국무부 동아.태 차관보의 현재까지
확정된 체한일정을 아래과 같이 보고드립니다.

<u>11.14 (토)</u>   착   한

15:00 - 17:30   한.미.일 3자 협의 (신라호텔)

19:30   제 1차관보 주최업무 만찬 (신라호텔)

<u>11.15 (일)</u>   09:00 - 11:00   한.미.일 3자 협의 (신라호텔)

<u>11.16 (월)</u>   미 상공인과의 조찬

09:30   <u>외무부장관 예방</u>

10:00 - 11:00   한.미 양자 협의 (817호 회의실)

11:30   경기원 차관 면담 (잠정)

12:15   외무부 차관 주최 오찬 (롯데호텔)

                     - 통일원 차관, 경기원 차관, 외교안보
                       연구원장, 제 1차관보, 미주국장,
                       국방부 군비통제관등 참석

14:30   김종휘 외교안보 수석비서관 면담

15:30   이진설 경제 수석비서관 면담

16:30   기자회견 (미정)

                이   한

* 한.미.일 3자 협의 관계 상세는 별도 보고예정

0126

| 참 고 | : | Kartman 미 국무부 한국과장 방한 별도일정 |

11.11 (수)   착   한

11.12 (목)   미주국장 주최 오찬 (플라자 호텔)
                  김종휘 외교안보 수석비서관 예방 검토 (Gregg 대사 동행)
                  *   아측, 부정적 의견 전달

11.13 (금)   정재문, 정몽준, 김윤환, 조순승 의원등 면담일정 마련중

11.15 (일)   이   한

- 끝 -

예 고 : 1992. 12. 31. 일 반

예고문에의거일반문서로
재분류 1992. 12. 31 서명

		담 당	과 장	심의관	국 장	차관보	차 관	장 관
암고제	북미1과							

배 포 선 (미 국무부 동아.태 차관보 방한일정)

10 - 1   장   관

10 - 2   차   관

10 - 3   제1차관보

10 - 4   외교안보연구원장

10 - 5   외정실장

10 - 6   정세분석관

10 - 7   아주국장

10 - 8   청와대(외교)

10 - 9   미주국 심의관

10 - 10   북미1과 (원본)

0128

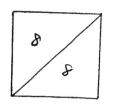

한·미·일 차관보급 3자회의 개최
준비 자료

92.11.5.

미　주　국

0129

I. 한·미·일 차관보급 정무협의 계획 (안)

1. 개 관

ㅇ 기간 및 장소
  - 92.11.14(토) - 15(일) 신라호텔(구체적 회의 시간 및 장소 대언론 보안)
    * 11.16(월), 한·미 양자협의 별도 개최(외무부 회의실 817호)

ㅇ 참 석 자
  - 아   측 (6) : 제 1차관보, 미주국장, 북미 1,2과장, 아주국, 외정실
                   관계관
  - 미   측 (5) : Clark 차관보, Kartman 한국과장, Demming 일본과장,
                   Hendrickson 참사관, Russel 서기관
  - 일   측 (4) : 이께다 아주국장 (또는 다께나까 심의관), 무또 북동아
                   과장, 오자와 안보과장, 노다 서기관 (예상)

ㅇ 의   제
  - 북한문제 (아측 리드)
    · 북한 핵문제
    · 북한 핵문제 해결 이후 대북한 정책 현안
    ██████████████████████████████
  - 미 대선 이후 미국의 대아시아 정책 (미측 리드)
  - 중국 및 러시아 정세 (중국은 일측, 러시아는 미측 리드)
  - 한·미·일 3자 협력 및 역내 다자협력 (아측 추가 의제, 아측 리드)
  - 지역 경제협력 문제 (미측 리드)

0130

2. 세부 일정 및 협의 계획

가. 3자 협의

o 11.14 (토)

15:00 - 17:30   [3자 협의]   (신라호텔 23층 Plum Room)

* 참 석 자 (총 15명)
  · 아측 (6) : 제 1차관보, 미주국장, 북미 1,2과장,
             아주국, 외정실 관계관
  · 미측 (5) : Clark 차관보, Kartman 한국과장,
             Demming 일본과장, Hendrickson
             참사관, Russel 서기관
  · 일측 (4) : 이께다 아주국장 (또는 다께나까
             심의관), 무또 북동아 과장, 오자와
             안보과장, 노다 서기관

* 의   제
  - 북한 문제
    · 북한 핵문제
    · 북한 핵문제 해결 이후 대북한 정책 현안
    ███████████████████████████████████

19:30   [제 1차관보 주최 만찬]   (신라호텔 23층 Prado Room)

                                    위명한 힘처라

* 참 석 자 (총 15명) : 협의시 참석자와 동일
* 메   뉴 : 양 식
* 의   제
  - 미 대선 이후 미국의 대아시아 정책

o 11.15 (일)

09:00 - 11:00   [3자 협의]   (신라호텔 23층 Plum Room)

* 의   제
  - 중국 및 러시아 정세
  - 한·미·일 3자 협력 및 역내 다자 협력
  - 지역 경제 협력 문제

0131

- 2 -

나. 한 · 미 양자 협의

o 11.16 (월)

09:30 | Clark 차관보 외무부 장관 예방 |

        * 배   석 : Gregg 대사, Russel 서기관

10:00 - 11:00 | 양자 협의 | (817호 회의실)

        * 참 석 자 (충 10명)

          · 아 측 (6) : 제 1차관보, 미주국장, 북미 1,2과장,
                          아주국, 외정실 관계관

          · 미 측 (4) : Clark 차관보, Kartman 한국과장,
                          Demming 일본과장, Hendrickson
                          참사관, Russel 서기관

        * 의   제 : 3자 협의시 의제 및 기타 한 · 미
                      공동 관심사

12:15 | 외무부 차관 주최 오찬 | (롯데호텔 2층 아테네 가든)

        * 참 석 자 (충 13명)

          · 아 측 (8) : 차관, 통일원 차관, 경기원 차관,
                          외교안보 연구원장, 박용옥 국방부
                          군비통제관, 제 1차관보, 미주국장,
                          북미 1과장, 「2라과장」

          · 미 측 (5) : Clark 차관보, Burghardt 공사,
                          Hendrickson 참사관, Pierce
                          서기관, Russel 서기관

        * 메   뉴 : 양 식

0132

- 3 -

II. 의제별 토의 참고자료

0133

공   란

---

2. 미 대선 이후 미국의 대아시아 정책 　　* 미측 리드

ㅇ 미국의 대아시아 정책 기저

- 자유민주주의와 시장경제를 기반으로 한 지역안정 추구

- 지역 안보는 기본적으로 미국의 양자 안보 협력관계의 기반위에서
  추구

  . 클린턴 행정부는 기존의 양자 안보협력 관계는 유지하되, 지역적
    다자안보 대화(또는 협력) 문제에 전향적으로 대처 가능

- 아·태 지역은 가장 활력있는 경제권으로 미국은 동 지역과의 경제
  협력 관계 강화를 통한 미국내 경제 활성화 추구

  . 클린턴 행정부의 공정무역 강조 가능성

- 북한의 핵무기 개발 및 미사일 수출등 구체적 안보 현안 대처

0135

- 6 -

o 미·일측 입장 파악 사항

- 클린턴 행정부하에서의 대아시아 정책 변화 가능성

. 다자안보 구상

. 강경한 대중국 정책 채택 및 한·일 양국 정부에 대한 여파

- 클린톤 행정부의 대아시아 정책에 대한 일측의 전망

3. 중국 및 러시아 정세

가. 중국 정세   * 일측 리드

o 협의 가능 사항

- 14차 전인대 결과등 중국 국내정세

· 등소평 이후 개혁노선 지속을 위한 준비라는 시각

- 냉전 종식 이후 중국의 대외정책

· 군사력 증강 동향

· 남사군도등 관련 역내 문제에 대한 적극적인 자세에 유의

- 미 대선 이후의 미·중 관계 및 이와 관련한 중국의 대일,
  대한, 대러시아 정책 추이

o 미·일측 입장 파악 사항

- 등소평 후계 체제 및 정책노선 전망

- 중국의 적극적 역내 정책 추이

- 장기적 일.중 관계 전망에 대한 평가

※ 한·대만 관계 문의 가능성

나. 러시아 정세   * 미측 리드

ㅇ 협의 가능 사항

- 국내 정국

· 보수파의 도전 및 옐친 대통령의 대응

· 옐친 정부의 장기적 viability

- 동경 NIS 지원회의 결과 및 향후 과제

· 한·미·일 협력

ㅇ 미·일측 입장 파악 사항

- 옐친의 정치적 입지 전망

※ 옐친 방한과 한·러 기본조약 관련 문의 가능성

4. 한·미·일 3자 협력 및 역내 다자협력   * 아측 리드

ㅇ 한·미·일 3자 협력 현황

- 북한 핵문제 공동 대처를 위한 실무급 3자 협의회 2회 개최

- 한·미·일 3자 정책 기획협의회 2회 개최

ㅇ 3자 협력의 의의 및 기능

- 기존 우방으로서 동북아 정세의 안정을 위한 긴밀한 3자 협력 필요

. 자유민주주의와 시장경제 체제 공유

- 특히, 북한의 핵문제 해결 및 북한의 개방화, 민주화 유도를 위한
  공동노력 지속

0137

-8-

- 중국 및 러시아의 정세변화를 감안, 지역안정의 구심 세력으로서
  3국의 역할 긴요
  . 향후 역내 다자협력체 추진에 있어 3국의 공동인식 및 협력이 긴요

o 미·일측 입장 파악 사항
  - 「동북아 관련국 대화」 추진에 대한 미.일측 입장
  . 기존 역내 다자안보대화 구상에 대한 의견 교환
  - 미 신행정부의 입장 변화 가능성
  - 일정부의 입장
  . 미야자와 구상의 구체적 추진 계획 여부

---

5. 지역 경제 협력 문제	* 일측 리드

o 협의 가능 사항
  - 역내 소지역 경제그룹 등장 추이 (NAFTA, AFTA, EAEC구상등)
  . NAFTA 에 대한 아측 입장 표명
  - APEC 발전 방향
  . 92년말 싱가폴에 상설 사무국 설치 예정
  . APEC 내 실질 협력 증진 방안
  - 동북아 경제권 구상 (환황해, 환동해 경제권 구상등)
  . 단기적으로는 구체화 어려움
    (동북아 국가들이 북미와의 교역에 의존)

o 미·일측 입장 파악 사항
  - 동아시아 경제권 구상 관련 일본의 중·장기 입장
  - NAFTA의 발전 추이
  . 부쉬 행정부의 FTA 확산 방침의 신행정부하 지속추진 여부

0138

Ⅲ. Clark 차관보 및 Kartman 과장 일정

북한 핵문제, 1992. 전13권 (V.11 10월) 145

1. Clark 차관보 체한 일정

11.14 (토)　　　착　　　한

　　　　　　　　15:00 - 17:30　　　3자 협의

　　　　　　　　19:30　　　　　　　제 1차관보 주최 만찬

11.15 (일)　　09:00 - 11:00　　　3자 협의

11.16 (월)　　미 상공회의소 방문　조찬

　　　　　　　　09:30　　　　　　　외무부장관 예방

　　　　　　　　10:00 - 11:00　　　양자 협의

　　　　　　　　11:30　　　　　　　경기원 차관 면담 (추진)　정보사

　　　　　　　　12:15　　　　　　　외무부 차관 주최 오찬

　　　　　　　　14:30　　　　　　　외교안보 수석비서관 면담

　　　　　　　　15:30　　　　　　　이진설 경제 수석비서관 면담

　　　　　　　　16:30　　　　　　　기자회견 (미정)

　　　　　　　　이　　　　　한

- 10 -

0139

2. Kartman 미 국무부 한국과장 방한 일정

11.11 (수)   ⌀ 착   한

11.12 (목)   ⌀ 미주국장 주최 오찬 (플라자 호텔 '아사달')

              * 참 석 자 (7 명)

                 · 아   측 : 국장, 공보관, 북미1, 2과장
                 · 미   측 : Karman 과장, Pierce, Russel
                                서기관

              ⌀ 김종휘 외교안보 수석 비서관 예방 검토 (Gregg 대사 동행)

              * 아측, 부정적 의견 전달

11.13 (금)   ⌀ 외교안보연구원장 주최 오찬

              - 홍정표 국장, 강근택 심의관 포함

              ⌀ 면담일정 (마련중)

              - 정재문, 정몽준, 김윤환, 조순승 의원등

11.14 (토)   15:00 - 17:30   3자 협의

              19:30   제 1차관보 주최 만찬

11.15 (일)   09:00 - 11:00   3자 협의

              이   한

                                                끝.

Suggested Proceedings of Trilateral Talks

1. Trilateral Talks

   Nov. 14(Sat)

   15:00-17:30   1st session(Shilla Hotel, Plum room, 23rd floor)

   - North Korean issues(Korea lead)

     . Nuclear issue

     . Policy coordination beyond the North Korean
       nuclear problem

     ███████████████████████

   19:30   Working dinner hosted by Assistant Minister Shin
                 Kee-Bok(Shilla Hotel, Prado room, 23rd floor)

   - US policy towards Asia under the new
     administration(US lead)

   Nov. 15(Sun)

   09:00-11:00   2nd session(Shilla Hotel, Plum room, 23rd
                  floor)

   - Situation in China(Japan lead)

   - Situation in Russia(US lead)

   - Trilateral cooperation and regional politico-
     security dialogue * (Korea lead)

   - Regional economic cooperation(Japan lead)

* Korean participants will be the first Assistant Minister, Director-General
  for American Affairs, Directors for North America Div. 1 & 2, Director for
  Northeast Asia Div. 1, and Director for Inter-Korean Policy.

* Mr. Yu Myung-Hwan, MOFA Spokesman will also attend the dinner.

0141

2. Bilateral Talks

   Nov. 16(Mon)

              10:00-11:00   Bilateral Talks(MOFA meeting room, No. 817)

                               - Issues of bilateral concern

                                 · security, North Korea, trade

                               - Wrapping up Trilateral discussions

3. Other Programme for Assistant Secretary William Clark

   Nov. 16(Mon)

              09:30   Courtesy call on Foreign Minister Lee Sang-Ock

              12:15   Luncheon hosted by Vice Foreign Minister Roh

                               Chang-Hee(Lotte Hotel, Athene Garden, 2nd floor)

   * From Korean side, Vice Minister for National Unification, Vice Minister

     for Economic Planning, Dean of IFANS, the First Assistant Minister(MOFA),

     Director-General for American Affairs, Director of Arms Control Office

     (MOD), and Directors for North America Div. 1 & 2 plan to attend the

     luncheon.   END.

0142

공   란

공 란

외 무 부

종 별 :

번 호 : USW-5428 일 시 : 92 1105 1839

수 신 : 장 관 (미일,미이,아일,롱이,경일)

발 신 : 주 미 대사

제 목 : 국무부 CLARK 동아태차관보 면담

　　본직은 금 11.5(목) 오후 국무부 CLARK 동아태차관보와 면담, 미대통령선거후 신행정부의 대한반도 정책 전망, 동차관보의 방한계획등에 관하여 의견교환한바, 아래 요지 보고함.(아측 임성준 참사관, 미측 KARTMAN 한국과장 배석)

　　1. 신행정부의 대한반도 정책 전망

　　0 본직은 미대선 결과 CLINTON 민주당후보가 승리함에 따라 신행정부의 대외 정책이 어떻게 수립될 것인지에 관해 지대한 관심이 모아지고 있으며, 특히 우리 언론으로부터 주미대사 입장에서 많은 논평을 요청 받고 있어 작일 CLINTON당선자가 천명한 바와 같이 미국의 대외정책기조는 계속 될 것이라는 점을 강조한 바 있다고 소개한 후 신행정부의 대한반도 정책전망에 관한 동 차관보의 견해를 문의하였음.

　　0 CLARK 차관보는 현재까지 CLINTON 진영과 접촉한 바 없음을 전제하면서 신행정부의 대아시아 정책에 큰 변화는 없을 것이며, 특히 기존 한. 미 안보협력관계는 계속 유지 될 것으로 본다고 밝히고, 이는 한. 중.일을 포함한 아주제국이 미국에 매우 중요하다는 기본인식에 기인한다는 의견을 표명하였음. ▮▮▮▮▮

▮▮▮▮▮▮▮▮▮▮▮▮▮▮▮▮▮▮▮▮▮▮▮▮ 북한 핵문제에 관한 입장도 현재 미행정부가 취하고 있는 기본 노선과 크게 달라질 것으로는 예상되지 않는다고 설명하였음.

　　0 동 차관보는 이어 다만 대외경제. 롱상 분야에 있어서는 미국내 경제 활성화를 촉진하기 위하여 보다 강력히 대처해야 한다는 의견이 고조 될 것이나 이는 미국내 경제부진 때문에 어느측이 집권하든간에 동일한 정책을 취하지 않을 수 없을 것으로 본다는 견해를 밝혔음.

　　2. 국무부 업무인계 절차

미주국 외정실	장관 분석관	차관 청와대	1차보 안기부	2차보	아주국	미주국	경제국	롱상국

0145

O 본직은 신행정부의 대한반도 정책 수립에 앞서 업무인수단에 대한 브리핑, 정책검토서 제출과정에서 북한 핵문제, 미.북관계등 주요사안에 대한 우리 입장이 충분히 반영되기 위하여서는 CLARK 차관보를 위시한 현재의 국무부 실무진 역할이 매우 중요할 것으로 본다는 의견을 개진하고 금후 구체적인 국무부 업무인수 절차등에 관하여 문의하였음.

O CLARK 차관보는 정권인계인수 절차에 대해 당선자의 선택과 스타일에 따라 다소 차이가 있을수 있으나 일반적으로는 정권인수팀 구성직후 국무부 담당 책임자가 선임되며 그 아래 동아태국을 담당하게 될 인사가 아울러 선임되며 동 인사를 중심으로 인수업무가 비공식으로 개시되며, 그후 국무장관 지명자가 선임되면 각부서별 담당 인사임명이 뒤따르면서 인수업무가 공식적으로 본격화 된다고 설명하였음.

O 동 차관보는 인수업무 과정을 통해 다수의 브리핑, 정책검토서 제출등 인수단측과 업무협의가 있게 된다고 밝히고, 동 과정을 통해 당관과도 긴밀히 협조하겠다고 말하였음.

3. 한. 미. 일 3 자 협의회

O 본직은 동차관보의 방한에 환영의 뜻을 표시하고, 금번 방한시 개최될 한.미.일 3 자 협의와 한. 미 양자협의시 최근 남북관계를 중심으로한 한반도 주변정세, 미국 신행정부 발족에 따른 대아시아 정책 전망, 북한 핵문제등을 중심으로 의견 교환하게 될 것으로 예상한다고 말하고, 미측으로서 특히 제기하고자 하는 사항에 관하여 문의하였음.

O CLARK 차관보는 금번 3 자 협의시에는 동북아 지역의 안보, 경제문제에 관하여 광범위하게 비공식적으로 의견교환 하기를 희망한다고 말하고, 경제문제와 관련 시베리아 개발 문제등 러시아를 동북아 경제권으로 참여시키는 방안에 관하여도 관심이 있음을 밝히면서 본직의 의견에 이의 없음을 표명하였음. 동 차관보는 이어 금번 3 자협의 추진 배경은 그간 아시아 담당부서인 미국무부 동아태국으로서는 한. 일 양국의 미국담당부서와 주로 상대 해 왔기 때문에 양국의 아주지역 전문가들과 협의 기회가 상대적으로 적었던 점에 비추어 3 국의 아주지역 전문가간 협의를 촉진코자 하는데 있다는 점을 아울러 설명 하였음. 끝.

(대사 현홍주 - 국장)

예고: 192..12.31.에 일반문에
적 일반문서로 재분류됨

관리
번호 92-1942

외 무 부

종 별 : 지 급

번 호 : USW-5445

일 시 : 92 1106 1623

수 신 : 장 관 (미일)

발 신 : 주 미 대사

제 목 : 한.미.일 3자 협의

대: WUS-4990

1. 금 11.5. KARTMAN 과장은 당관 임성준 참사관에게 연락, CLARK 차관보의방한을 포함한 아주순방 일정이 전면 취소되었다고 통보하면서, 미측은 갑작스런 취소 결정을 내리게 된것을 유감으로 생각하며 아울러 그간 회의 준비를 위한아측 노력에 사의를 표한다고 언급함.

2. 취소 이유에 대해서 동 과장은 클린튼 대통령 당선자의 정권인수팀이 곧구성되면 국무부도 업무인계를 시작해야 할 것인바, 이런때에 동아, 태국 차관보를 포함, 고위간부가 장기간 해외여행을 하는 것이 적절치 않다는 판단에 따라취해진 결정이라고 설명하고, 그러나 미측으로서는 한.미.일 3 자협의 FORMAT을 계속 추진해 나갈 계획이므로 궁극적으로는 표제회의가 개최될 것이나 현재로서는 시기를 정하기 어려운 상황이라고 언급함.

3. 상기 CLARK 차관보 아주순방 취소 결정은 GREGG 대사로 하여금 우리 정부측에 직접 전달하도록 주한대사관에 훈령하였다고 함. 끝.

(대사 현홍주 - 국 장)

예 고 : 92.12.31. 일반.

미주국	장관	차관	1차보	분석관	정와대	안기부

PAGE 1

92.11.07   08:23

외신 2과 통제관 BX

0147

정리보존문서목록					
기록물종류	일반공문서철	**등록번호**	32703	**등록일자**	2009-02-26
분류번호	726.61	**국가코드**		**보존기간**	영구
명 칭	북한 핵문제, 1992. 전13권				
생 산 과	북미1과/북미2과	**생산년도**	1992~1992	**담당그룹**	
권 차 명	V.12 11월				
내용목차	* 북한 핵관련 대책, 한.미국간 협의, 미국의 사찰과정 참여 요구 등				

0001

공   란

공   란

공　　　　란

공　　　란

공 란

공 란

공   란

공 란

공   란

공 란

공   란

공   란

공 란

공　　　란

공   란

공   란

공 란

공   란

주 미 대 사 관

발신(F) : 6928   변원인 : 92.11.1   시란 : 14:00
수 신 : 창 관 (미일.미이.정안.정특)
발 신 : 주 미 대 사
제 목 : 북한 핵 위험 경고 (美 행정부)

THE WASHINGTON POST
A34 SUNDAY, NOVEMBER 1, 1992

North Korean A-Arms Danger Is Downgraded

U.S. Official Credits Inspections, Pacts

By Don Oberdorfer
Washington Post Staff Writer

The much-discussed danger of nuclear weapons being produced on a massive scale at North Korea's previously secret atomic facility has been blocked by the combination of international inspections and North-South agreements on the bitterly divided peninsula, according to the Bush administration's arms control chief.

Ronald F. Lehman, who directs the Arms Control and Disarmament Agency and earlier had been among the officials sounding the alarm about North Korea's nuclear ambitions, told a group of journalists Thursday that recent developments have "stopped" the North Korean nuclear weapons program at Yongbyon and "blocked the ability for [North Korea] to have a sizable number of nuclear weapons over time." Lehman amplified his comments in an interview Friday.

On both occasions, Lehman said the administration continues to be concerned about the possibility that a clandestine weapons program, in which small amounts of nuclear material could be produced and hidden in caves or other unobserved locations, could produce a few nuclear weapons.

"We can't afford even one nuclear weapon in the hands of North Korea," Lehman said. Nonetheless, the continuing possibility of a clandestine program was described in much less ominous terms than the earlier forecasts of large-scale nuclear weapons production.

U.S. officials declared earlier this year that North Korea appeared to be on the verge of acquiring nuclear weapons through its extensive production facilities at Yongbyon, north of the capital city of Pyongyang. CIA Director Robert M. Gates testified in February that if the then-uninspected North Korean program continued, it could produce nuclear weapons within "a few months to as much as a couple of years." In March, Gates said North Korea is "close, perhaps very close, to having a nuclear weapons capability" and expressed fears that large-scale production might permit Pyongyang to put some of its nuclear materials and know-how on the market.

Since the earlier warnings were issued, the International Atomic Energy Agency (IAEA) has been permitted to conduct three inspections of the Yongbyon atomic plants, some of which North Korea had never acknowledged having in the past. Another inspection is scheduled for next week. At their request, IAEA officials also have visited two additional sites—one a military facility, the other a civilian plant, an IAEA spokesman said.

"It turned out we were right" in suspecting that a massive building near the Yongbyon atomic reactors was intended to convert spent nuclear fuel into weapons-grade material, Lehman said in the interview. IAEA officials who toured the plant this spring reported it was less than half complete. Lehman said that North Korea could complete the plant and use it for weapons purposes only by doing so "in violation of a North-South agree-

' ROBERT M. GATES
... had warned of weapons program

ment and in the face of an IAEA inspection regime." This is considered unlikely.

Lehman said he did not believe there is "any big dissent" in the administration about the current status of the North Korean nuclear program. He said he was not aware of any U.S. estimate that North Korea already has acquired a nuclear weapon, although he said nobody could guarantee that this could not happen.

U.S. downgrading of the North Korean nuclear danger, previously described by a variety of officials as the most serious security threat in East Asia, is in keeping with South Korean assessments. South Korean President Roh Tae Woo said in recent interviews that North Korea's nuclear plans and resolve have been weakened as a result of international pressure.

한 세

6928-1-1

0020

관리번호 92 -680

외 무 부

종 별 : 지 급

번 호 : USW-5360 　　　　　　　　　　 일 시 : 92 1102 1947

수 신 : 장 관 (미일,미이,정안,국기)

발 신 : 주 미 대 사

제 목 : CSIS 신행정부 외교정책 건의

　　당지 CSIS 는 금년도 대통령 선거결과 수립될 신행정부에 대한 대외정책 건의를 주 내용으로 한 "AGENDA '93 : CSIS POLICY ACTION PAPERS" 제하의 세미나를 금 11.2 개최하였는바, 동보고서 요지 및 아국관련 사항을 아래보고함 (당관 박인국 서기관 참석)

　　1. 정책 건의서 주요 내용

　　0. 상기보고서는 새행정부가 당면할 주요 이슈를 AGENDA AT HOME, REGIONAL AGENDA 및 GLOBAL AGENDA 3 부문에서 51 가지로 선정하고 각 이슈마다 현황, 배경, 정책대안 그리고 건의순으로 작성하였는바, 주요 정책건의 내용은 아래와 같음. (보고서 책자는 파편송부)

　　가. 차기 행정부의 주요당면 과제

　　- 우선 처리 4 대 과제

　　1) HUSSEIN 정권처리, 2) 유고문제, 3) 우르과이 라운드타결, 4) 아랍-이스라엘 평화 협상

　　- 중.장기 우선과제

　　1) 국내문제 개선에 도움이 될수 있는 대외정책 수립과 추진 2) 국방정책 전면 개편 3) 구쏘련과 동구의 안정 4) 대일관계 재확립나. 주요 정치. 행정조직 개편

　　- 대외정책결정 과정

　　. 국제경제문제 강조를 위해 NSC 에 국제경제 문제담당차석 제도 신설 또는NSC 와 대등한 위치의 ECONOMIC POLICY GROUP 신설

　　. 유기적인 대외전략 수립을 위해 NSC 에 STRATEGIC PLANNING UNIT 신설

　　- 대의회 제도개선

　　. 각종 기능 중복 위원회의 통폐합

미주국	장관	차관	1차보	2차보	미주국	국기국	외정실	분석관
청와대	안기부							

* 원본수령부서 승인없이 복사 금지

92.11.03　　11:50

외신 2과　통제관 CM

0021

. 상. 하원 예산위원회를 상하원합동 예산위로 통합하고 예산안 유효기간을 2년으로 연장

. 세출.세입법안의 통합

2. 아국관계 (아국관계 부분은 팩스편 송부)

가. 주한미군 철수 문제

O MICHAEL MAZARR 선임연구원은 1) CSCE 같은 지역협의체 부재, 군사적 차원에서 일본의 미국역할 대체에 대한 주변국의 반발, 2) 중국의 군사력 확장에 대한 견제, 한국과 일본간의 점증하는 상호 긴장 관계에 대한 완충기능 필요성 등으로 정책이 계속 유지되어야 하며 급격하고 일방적인 미군 감축은 피해야 한다고 건의

O 한편 DON SNIDER 연구원은 유럽 이외의 지역에서는 해외주둔 미군을 급격하게 감축시켜서는 안된다고 건의하면서도 새행정부가 신세계 질서하 에서의 미국의 전략적 역할과 이해 관계를 분명히 정립하기 이전에는 어떤 군사적 공약도 해서는 안된다는 입장을 표명하였음.

O 경제. 통상관계가 안보관계보다 우선하게 될것인가하는 질문에 대한 보충 답변을 통해 TAYLOR 부소장은 동아시아 제국과의 쌍방교역량이 3000 억불은 상회하고 있고 중국의 팽창에 대한 한. 일양국의 불안, 그리고 한. 일 양국간 상호 군사력 증대에 관한 불안등 지역 불안정 요소를 고려 할때 미국의 공약은 확고하게 유지 되어야 한다고 강조하였음.

나. 북한 핵문제

O WILLIAM TAYLOR 부소장은 'KOREAN UNIFICATION AND NUCLEAR INSPECTIONS' 항에서 1) 새행정부는 남. 북한에 각각 정부대표를 파견 하여 북한 핵문제에 관한 정책을 설명하고, 2) 1 회에 한한 남북한, 미국간 고위 3 자회담 개최를 촉구하고 3) 동 회담이 성과를 거두지 못할 경우 신속히 '2 프러스 4' 주변국 회담 방식을 대안으로 추진할 것을 건의하였음.

3. 경위 및 평가

O CSIS 는 최근 동 연구소가 SAM NUNN 상원의원과 (민주-조지아) PETE DOMENICI 상원의원 (공화-뉴멕시코)을 공동위원장으로 미국내 정치, 경제제도 개혁을 위한 'STRENGTHENING OF AMERICAN COMMISSION 를 구성하여 내정개혁에 관한 제 1 차 보고서를 작성한데 이어 후속조치로 대외 정책에 관한 종합보고서를 발간하게 된것으로 파악되고 있음.

O 금번 보고서는 내정과 연결된 대외정책 구상에 촛점을 맞추었다는 점에서 미 조야의 주목을 받게 될 것으로 예상되며 특히 의회의 개혁을 구체적으로 권고한 점이 특이한바, 여타 THINK TANK 의 향후 동향이 주목됨. 끝.

첨부: USW(F)-6965(7 매)

(대사 현홍주 - 국 장)

예고: 92.12.31. 까지

PAGE 3

0023

주 미 대 사 관

USW(F) : 6P65   년월일 : P2.11. 2 시간 : 1P:47

수 신 : 장 관 (미일, 미이, 경노, 국기)

발 신 : 주미대사

제 목 : 첨부

(출처 :   )

보 안
통 제

(6965-총-1)

외신 1과
통 제

0024

U.S. Military Presence Overseas
DON M. SNIDER[*]

Issue:

Current defense plans call for retaining small but significant contingents of U.S. forces stationed permanently overseas in a "presence" role. Under current draw-down rates, these planned force levels will be reached at the end of FY93: 150,000 in Europe, 45,000 in Japan, and 37,000 in Korea. The new administration will have to decide whether to reduce overseas forces to a 'lower level or maintain this size of "forward presence."

Background:

Three major factors should influence the decision on the future size and composition of U.S. military presence overseas:

1. *A strategic concept of the role the United States is to play in the world, and the utility of military power in that overall role*: During the cold war, the United States maintained large contingents overseas to provide a forward defense in support of the grand strategy of containment. The smaller contingents planned by the Bush administration support a new strategy designed to keep the United States engaged in the world--to maintain U.S. credibility for commitments to friends and alliances, and to enhance stability in regions of vital U.S. interests. More specifically, they provide the continual "glue" of military-to-military relationships with the forces of friends and allies that ensure coherent and interoperable military capabilities in time of crisis. Because the United States can no longer afford to "go it alone" in major military operations, this last function is now far more important than during the cold war.

2. *Allies' willingness to bear the burdens of a U.S. military presence in their country*: This has been an increasingly contentious issue over the past decade, both within the U.S. government and between the United States and its allies. In the most recent U.S. legislation (for FY93), Congress again mandated that our allies assume more costs (another $500 million). In contrast, allies point out they are already paying a major part of the dollar costs and incur nonmonetary costs that our Congress seldom considers such as crowding, and environmental and noise pollution from training exercises. For example, under FY92 burdensharing arrangements with Japan, it costs DOD less to station and maintain U.S. forces in Japan than to maintain an identical force anywhere in the United States. There are other aspects of defense burdensharing that must also be considered, such as

---

[*] *Don M. Snider is deputy director of the CSIS Political-Military Affairs Program.*

6965 - 8 - 2

0025

Discussions on further U.S.-Vietnamese normalization could include sessions in Hanoi and Washington. During these talks, the United States must continue, if necessary, to stress to Hanoi that there is no leverage to be gained in the POW-MIA issue.

Recommendations:

- Once Hanoi satisfies the United States that it is truly resolving the POW-MIA cases and returns the remains of U.S. servicemen, normalization of relations should proceed quickly.

- The administration should balance domestic, bilateral, and regional factors by moving to resolve any outstanding issues with Hanoi necessary for normalizing relations in 1993.

6965-8-3

0026

Korean Unification and Nuclear Inspections
WILLIAM J. TAYLOR[*]

Issue:

Progress toward the long-range goal of Korean unification has been held up for over a year by the lack of progress on the short-term, high priority objective of North-South mutual nuclear inspections. This issue has come to overshadow broader, more fundamental questions about how to deal with one of the most recalcitrant regimes in the world. The logjam in North-South nuclear negotiations should be broken as soon as possible, but the next administration should give high priority to policies that could help prevent a collapse of North Korea, which could violently destabilize the Korean peninsula.

Background:

Although IAEA inspections of North Korea's Yongbyon and other nuclear facilities appear to be on track, the North-South agreement last year on the Denuclearization of the Korean Peninsula, a potential diplomatic breakthrough, has gone nowhere. Both sides quickly developed and have maintained incompatible negotiating positions:

North: Would trade inspection of their nuclear facilities at Yongbyon for inspections of *all* U.S bases in the South.

South: For "symmetry," would trade inspections of *one* U.S. base in the South for inspections of Yongbyon.

CIA Director Robert Gates stated months ago that North Korea may be two months to two years away from putting together nuclear weapons. Yet the U.S. policy position has been to agree with South Korea (ROK) that all matters concerning North-South reunification, including mutual nuclear inspections, are strictly a Korean affair. North Korean leaders disagree and have signaled that they want high-level bilateral talks with the US on nuclear inspections and have sent at least one message that they are willing to discuss a range of alternatives in North-South-U.S. trilateral talks. They also complain that despite their cooperation with IAEA, the US and South Korea are constantly moving the goalpost—putting new stress on such issues as missile proliferation and human rights.

South Korea objects vehemently to trilateral discussions. It sees them as a North Korean attempt to drive a wedge in U.S.-ROK relations, and believes there is

---

[*] *Bill Taylor is CSIS senior vice president for international development.*

nothing the North can do in trilaterals it cannot do in bilateral talks.

All major actors in Northeast Asia--the U.S., Japan, China, Russia, and South Korea--oppose North Korea's acquisition of nuclear weapons. All have been working in concert to isolate North Korea economically and politically. This policy has been succeeding slowly but surely. The key question is whether our current policy will induce the North to change its position on mutual nuclear inspections fast enough, or--by holding up progress on all other fronts until the nuclear issue is resolved--cause it to lash out militarily in desperation. The United States and other Northeast Asian actors have an interest in blocking North Korean acquisition of a nuclear weapon, in preventing war on the Korean peninsula, in promoting Korean reunification, and in fostering regional stability.

Options:

To get movement on the nuclear inspections, there are four U.S. policy options:

1. Continue the current bilateral approach with the hope that either the North will understand the futility of its present negotiating position and accept the South's, or that the South, moving from a position of strength, will change its negotiating stance.

2. Urge the South to agree to a one-time, high-level trilateral discussion of nuclear inspection options. If the North is serious, the United States and South Korea will achieve their goal of getting North-South nuclear inspections under way rapidly. If the North does not change its position, its bluff has been called.

3. Begin a diplomatic initiative in Northeast Asia under the rubric of "two-plus four" to bring the United States, Japan, China, and Russia to bear in breaking the logjam in negotiations. Secretary Baker surfaced this proposal several months ago, but quickly dropped it without explanation.

4. Send a high-level representative to the South *and* North Korean governments to inform both quietly that the rules have changed and that the United States is seriously committed to normalizing the situation on the peninsula as soon as possible.

Recommendation:

●   The United States should send a representative to North and South Korea, explain the next administration's policy, and urge a single, high-level, trilateral discussion to resolve the nuclear issue. If that session fails to yield positive movement in bilateral nuclear inspections, the United States should move quickly to develop the two-plus-four alternative.

6965-4-5

0028

U.S. Security Policy in Northeast Asia
MICHAEL MAZARR[*]

Issue:

>   The security role of the United States in Northeast Asia, and its security commit-
> ments to its Japanese and South Korean allies there, will reach a crossroads
> during the next administration. The United States faces critical decisions that will
> determine whether it is to withdraw from the region or continue to play a
> constructive and stabilizing role there.

Background:

>   Since 1945 the United States has been intimately involved with the security of
> Northeast Asia. Through bilateral security treaties with South Korea (1954) and
> Japan (1960), it has committed its power and prestige to the defense of key allies
> in the region. The United States rescued South Korea from Communist aggres-
> sion in 1950 and has continued to deter a North Korean attack since then. U.S.
> power obviates the need for Japan to maintain a large military, and Japan's
> restraint is a critical element of regional stability.

>   U.S. national interests in Asia are equal to its interests in any other region. Forty
> percent of U.S. trade is with Asia, more than with any other single region.
> Geopolitically, the United States aims to prevent the rise of a hostile regional
> power--the dangers of which have been clear since 1941. The Asian-American
> population is growing steadily in the United States, creating new cultural and
> political bonds.

>   The current U.S. military strategy for the region recognizes the dramatic changes
> that have taken place and provides for a reduced, although still robust, U.S.
> presence. First outlined by the Defense Department in April 1990, the strategy,
> published in a document called "A Strategic Framework for the Asian Pacific
> Rim," calls for a three-phase reduction of U.S. forces and greater reliance on
> military exercises and allied ports and airfields rather than on standing U.S.
> bases. The first-phase reductions of roughly 15 percent have already occurred--
> with the number of U.S. troops in Korea, for example, declining from 43,000 to
> 36,000. The second phase is expected to involve a similar reduction. But the
> plan is careful to maintain U.S. alliances, keep a solid core of U.S. combat troops
> deployed on the territory of those allies, and show the flag with extensive naval
> deployments.

---

[*] Michael Mazarr is senior fellow in the CSIS International Security Studies Program.

0029

69북-1-6

allied contributions to UN peacekeeping operations (generally larger and more timely than the United States) and cost-sharing of military operations recently undertaken (allies paid $57 billion of the $65 billion cost of the Gulf War).

3. *U.S. domestic politics*: Commitments to deficit reduction require reductions in defense expenditures. The military manpower appropriations are the fastest spent. Consequently, there will be increased pressure to reduce force structure further and to do so rapidly. From the perspective of domestic politics, there are two choices: to reduce overseas or to reduce at home. Wherever U.S. forces are maintained, jobs are created and paid for by the U.S. government. Members of Congress logically want these jobs (votes) in their own districts, particularly in a period of regional recessions and slow economic growth. Therefore, as the builddown has occurred, Congress has pressured for closing bases overseas rather than at home. That pressure will continue and perhaps increase.

Recommendations:

- Careful trade-offs between these competing influences will have to be made by the new administration. The danger is a return to the commitments-capabilities gap identified by Walter Lippman in the late 1930s. It will be all too easy to leave U.S. commitments as they are and bring still more forces home. But the United States cannot have it both ways; either it stays engaged with forces overseas, or it articulates a new set of commitments and new role in the world and comes home. The United States cannot credibly, nor safely, keep current commitments and *sharply* reduce its overseas presence. The exception is Europe, where U.S. forces can be reduced prudently to 75,000-100,000 if they are reconfigured to serve needed purposes. The new administration *should not*, however, make any commitments to other reductions in U.S. military presence overseas until a strategic concept has been articulated for the role the United States will play in the world, and the utility of military power in that role, and regional security arrangements in each region of U.S. interest have been reviewed, including burdensharing, and the role of U.S. military force as an instrument of power in that specific region or subregion has been identified and agreed upon. In most cases, such a review will call for less traditional warfighting forces from the United States and many more elements of military infrastructure such as intelligence, communications, and mobility.

Caution: Under foreseeable conditions, any U.S. forces withdrawn from overseas cannot be returned overseas because political conditions preclude the reestablishment of permanent basing. Therefore, careful analysis and consideration should precede any such decision.

6965—7—7

0030

外務部 情報狀況室
受信日時 92. 11 . 3 . 10 : 30

'팀'훈련 재개시 IAEA핵사찰 불응 시사
北韓 2일 외교부 대변인 성명 발표

(서울=聯合) 北韓은 2일 韓.美측의 "팀스피리트 훈련이 영원히 중지되고 어떤 핵위협이나 압력도 없어야 국제원자력기구(IAEA)의 핵사찰을 계속 받을 것"이라고 밝혀 팀스피리트 훈련과 연계, 국제원자력기구의 핵사찰에 불응할 수도 있음을 강력히 시사했다.

내외통신에 따르면 북한은 이날 국제원자력기구 사찰단(단장 안전과장 빌리 타이스)의 平壤 도착과 때를 같이해 발표한 외교부 대변인 성명을 통해 북한이 핵안전협정에 서명하고 국제원자력기구의 핵사찰을 받게 된 것은 韓.美측이 단거리 핵무기 철폐(91.9) 및 핵부재(91.12)를 선언하고 올 팀스피리트 훈련을 중지하겠다고 밝혔기 때문이라고 상기시키면서 내년도 팀스피리트 훈련 재개 합의가 "미국이 우리에 대해 핵위협을 하지 않겠다고 한 궁약을 파괴하는 도발행위이며 핵담보협정 서명국인 우리에 대한 노굴적인 위협궁갈"이라고 주장했다.

이 성명은 이어 핵사찰 문제가 그 어떤 압력이나 강권행위로써 해결될 문제가 아니라고 강조하면서 "만약 우리의 거듭된 경고에도 불구하고 팀스피리트 훈련을 재개한다면 우리의 핵담보협정 이행에 새로운 난관이 조성될 것"이라고 경고했다.(끝)

0031

연합 H1-160 S01 정치(237)

北韓, 궁동위 가동 거부 거듭 시사
'92독수리연습 관련 외고부 담화 통해

    (서울=聯合) 北韓은 2일 韓.美측이 「'92독수리연습」을 실시함으로써 남북관계를 격화시키고 남북공동위윈원회를 파탄시키고 있다고 비난했다.

    내외통신에 따르면 북한은 이날 외고부 대변인 담화를 발표, 이 훈련이 "한반도 정세를 극도로 긴장시키려는 위험한 근사적 도발행위이며 팀스피리트 훈련 재개 중지 요구에 대한 노골적인 도발행위"라면서 그같이 주장했다고 북한 방송이 3일 보도했다.

    북한은 지난 1일과 2일에도 이 훈련을 실시할 경우 각중 대화에 불응할 것임을 시사한 바 있다.(끝)

(YONHAP) 921103 1019 KST

0032

.5

北韓核문제 해결 길잡이

南北·美-中 막판진통

中央日報 1992年11月3일 火曜日 기획·해설

실패할땐「2+4회담」으로 파급

中國變장 大事 素軍줄다리 진행중

공   란

공   란

공 란

공 란

공   란

공   란

공   란

공　　　란

공   란

공   란

공   란

공 란

공   란

공   란

공　　　란

공   란

공   란

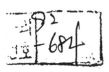

72

報告畢

1992. 11. 4.
외교정책기획실
특수정책과(139)

報 告 事 項

題 目 : 북한, 11월개최 4개 남북공동위 회의 불참 성명 발표(11.3)

(북측 4개공동위 위원장 연합 성명)

1. 북측 성명 요지

    o 화랑, 독수리 훈련은 남북 공동위 회의들에 대한 파괴행위이며, 북한에 대한 대결선언

    o 11월 개최 분야별 남북공동위 회의에 참석할 수 없음

    o 화랑과 독수리·훈련의 즉각 중지 및 11월말까지 T/S 훈련 철회 요구

    o 남북공동위 회의의 12월 재개를 위한 남측의 책임있는 조치 촉구

2. 우리측 통일원장관 명의 대북성명 발표(11.4, 10:30)

    o 남측의 통상적인 군사훈련을 구실로 상호합의한 대화를 파기한 것은 용납할 수 없는 반대화적 태도

    o '공동위'의 예정대로의 개최 및 상호핵사찰, 이산가족 교환방문 조속 실현 촉구

0051

공   란

공　　　란

공　　　란

공   란

공   란

공   란

공   란

공   란

공   란

공   란

공　　　란

공   란

공　　　　란

공   란

공   란

공					란

북한의 비핵지대화 제안

가. 한반도 비핵·평화지대 창설 제안

나. 군축협상을 위한 3자 회담 제의

다. 한반도 비핵화를 위한 제안

라. 한반도 비핵지대화 선언 제안

0068

14

1. 북한의 비핵지대화 제안

  -가. 한반도 비핵·평화지대 창설 제안(86. 6. 23. 정부 성명)

     조선 민주주의 인민 공화국 정부는 을해 국제 평화의 해에 즈음하여
  고조되고 있는 세계 인민들의 평화에 대한 열망을 반영하여 조선반도를
  비핵지대 평화 지대로 만들데 대한 자기의 입장을 다음과 같이 내외에
  천명한다.

     첫째로, 조선 민주주의 인민 공화국 정부는 핵무기의 시험과 생산,
  저장과 반입을 하지 않으며 외국의 핵기지를 포함한 모든 군사기지의
  설치를 허용하지 않으며 외국의 핵무기들이 자기의 영토, 영공, 영해를
  통과하는 것을 허용하지 않을 것이다.

     들째로, 미국 정부는 조선반도를 비핵지대 평화 지대로 만들데 대한
  조선 인민과 세계 평화 애호 인민들의 열원에 맞게 남조선에 대한 새로운
  핵무기 반입을 증지하며 이미 반입한 모든 무기들을 단계별로 측감하고
  나아가서 그것을 완전히 철수하여 조선반도에서 핵무기 사용과 관련한 모든
  작전 계획들을 취소하기 위한 조치를 취하여야 한다.

     셋째로, 조선 민주주의 인민 공화국 정부는 미국 정부와 남조선 당국이
  조선반도를 비핵지대 평화 지대로 만들데 대한 우리의 제의와 관련하여 그
  어떤 협상이 필요하다면 그 협상의 형식에 구애됨이 없이 그에 어느때나
  응할 것이다.

0069

나. 군측 협상을 위한 3자 희담 제의(89. 11. 9. 외교부 성명)

　　조선 민주주의 인민 공학국 정부는 현 시기 조선반도에 조성된 긴박한
정세에 비추어 조선반도에 비핵지대를 창설하며, 그 지위를 확고히 담보하기
위한 실천적 대책을 취할데 대한 문제를 가지고 지체없이 당사자들의 협상을
진행하는 것이 필요하다고 인정한다.

　　첫째로, 조선반도의 비핵지대화 문제는 우리와 남조선 사이에 트의
해결되어야 하지만 현실적으로 남조선에 미국의 핵무기가 전개되어 있기
때문에 우리와 미국, 남조선이 3자 희담을 열고 남조선에 배치한 핵두기
철수 문제를 트의 해결해야 할 것이다. 우리는 이러한 협상을 을해 안으로
제네바 혹은 서르 합의하는 장소에서 진행할 것을 제의한다.

　　들째로, 3자 희담에서 미국의 핵무기 철수 문제에 대한 합의가
이루어지면 그에 따라 조선의 북과 남이 희담을 열고 조선반도를 비핵지대로
만들데 대한 공등 선언을 채택하며 핵브유국들의 법적 담보를 요구할데 대한
문제를 트의 해결해야 할 것이다.

북남 공등 선언에는 조선반도와 그의 12마일 영해 및 영공을 비핵지더로
선프하고 조선의 북과 남이 핵두기 시험과 생산, 저장과 반입을 하지 않으며,
외국 핵무기의 배치 및 외국의 함선과 핵두기를 적재한 비형기의 출입과
통과를 금지할데 대한 문제와 남조선에 전개되어 있는 미국의 핵무기 철수
정황과 북과 남의 의두 이행에 대한 호상 틈브 및 검증 질서와 관련한 문제들이
드함되어야 할 것이다.

0070

핵보유국들의 담보 문건에는 핵열강들이 조선반도의 비핵지대의 지위를 존중하며 어떤 경우에도 조선의 북과 남에 대한 핵위협과 핵공격을 금지할데 대한 의무가 규제되어야 할 것이다.

조선의 북과 남의 회담은 공동 선언과 담보 문건 초안 작성을 위한 전문가급 회담과 그의 정식 채택을 위한 당국 대표들의 회담으로 나누어 진행할 수 있을 것이다.

0071

다. 한반도 비핵화를 위한 제안(91. 7. 30. 외교부 성명)

조선 민주주의 인민 공화국 정부는 이러한 기대와 확신을 가지고
조선반도의 비핵화를 위한 다음과 같은 새로운 제안을 천명한다.

1. 조선의 북과 남은 조선반도의 비핵지대를 창설하는데 합의하고 이를
   공동으로 선언한다. 북과 남은 조선반도를 비핵지대로 만드는 문제와
   관련한 모든 법률적 및 실천적 문제들을 협의하고 늦어도 1992년말
   전으로 법적 효력을 가지는 공동 선언을 채택해야 한다고 인정한다.
   공동 선언에는 북과 남의 핵무기의 시험과 생산, 소유를 금지하는
   문제, 조선반도 비핵지대의 영내에서 핵무기의 배비와 통과 및 관련
   군사연습을 중지하는 문제, 북과 남에 대한 사찰의 방법으로 비핵
   상태를 검증하는 문제등이 규제되어야 한다고 간주한다.

2. 미국과 조선반도 주변의 핵무기 소유국들인 소련과 중국은 조선반도가
   비핵지대로 합의 선포되는 차례로 그 지위를 법적으로 담보한다.
   핵무기 소유국들은 우선 조선반도가 비핵지대로 되는 것을 방해하지
   않으며 그 지위를 담보할 용의를 표명하므로서 비핵지대 창설 과정을
   추동해야 할 것이다. 핵무기 소유국들은 조선의 북과 남이 비핵지대
   창설을 공동으로 선언한 때로부터 1년 이내에 조선반도의 비핵지대의
   지위에 저촉되는 모든 요소들을 제거하고 국제법상 요구대로 핵무기를
   사용하지 않으며 핵무기를 가지고 위협하지 않을데 대한 담보를 하여야
   한다. 특히 미국은 남조선에 핵무기를 배비한 당사자로서 조선반도의
   비핵화의 요구에 부합되게 자기의 핵무기를 철수하기 위한 조치를
   취해야 한다.

0072

3. 아세아의 비핵국가들은 조선반도가 비핵지대로 되는 것을 지지하며 그
   지위를 존중해야 한다. 조선 민주주의 인민 공화국 정부는 조선반도의
   비핵지대를 창설하기 위한 문제를 협의하기 위하여 임의의 시각에 쌍무적
   또는 다두적 협상을 진행할 용의가 있다.

0073

라．한반도 비핵지대화 선언 제안 (제4차 남북고위급회담시 북한측 기조연설)
(91. 10. 22)

※ 제5차 회담시 반복 제의

　　　　북과 남은 조선반도에서 핵전재 위험을 근원적으로 제거하고 우리나라의
평화와 아시아와 세계의 안전에 이바지하며 나라의 평화 통일에 유리한 전제를
마련하기 위해 다음과 같이 선언한다.

제1조 : 북과 남은 핵무기를 시험하지 않고 생산하지 않으며 반입하지 않고
　　　　소유하지 않으며 사용하지 않는다.

제2조 : 북과 남은 조선반도와 그 영내에서 핵무기의 배비를 금지하며 핵무기를
　　　　적재했거나 적재했을 수 있는 비행기와 함선들의 영공 또는 영해 통과,
　　　　착륙 및 기항을 금지한다.

제3조 : 북과 남은 자기 지역의 핵무기의 전개, 저장을 허용하거나 핵우산의
　　　　제공을 받는 그 어떤 협약도 다른 나라와 체결하지 않는다.

제4조 : 북과 남은 조선반도와 그 역내에서 핵무기와 핵장비가 동원되거나
　　　　핵전쟁을 가상한 일체의 군사 연습을 하지 않는다.

제5조 : 북과 남은 조선반도의 남쪽에 있는 미국의 핵무기와 미군을 철수시키고
　　　　핵기지를 철폐시키기 위해 공동 노력한다.

제6조 : 북과 남은 조선반도의 남쪽에 있는 미국 핵무기의 전면적이고 완전한
　　　　철수와 핵기지 철폐를 공동으로 확인하고 국제조약상 요구에 기초한
　　　　핵등시 사찰 의무를 이행하며 비핵지대화 선언을 내외에 공포한다.

0074

제7조 : 북과 남은 미국과 조선반도 주변의 핵무기 소유국들이 우리나라에
대한 핵위협을 하지 않으며 조선반도 비핵지대의 지위를 존중할데
대한 대외적 조치를 취한다.

제8조 : 북과 남은 이 선언의 이행을 위한 공동 기구를 선언 발표후 빠른
시일 안에 내온다.

제9조 : 이 선언은 북과 남이 각기 발효에 필요한 절차를 거쳐 그 문븐을 서로
교환한 날부터 효력을 발생한다.

0075

공　　　란

공 란

공   란

공   란

공 란

主要外信報告

受信 : 外務部長官 (寫本: 次官, 靑瓦臺狀況室, 國務總理當直室)

發信 : 外務部 特別狀況班長　　　　　日時: 1992. 11. 8 (일) (AM/PM 11:00)

題目 : IAEA 대표단 방북

인합 H1-015 S01 정치(446)

IAEA고위대표단 이달 하순 訪北

北韓내 미신고核시설 조사

　　(서울=聯合) 현재 진행중인 北韓에 대한 국제원자력기구(IAEA)의 제4차 임시사 찰이 끝나는 대로 빌라로스IAEA사무총장을 대표로 한 고위대표단이 북한을 방문할 것으로 알려졌다.

　　한 외교소식통은 8일 "지난 3일부터 진행중인 임시사찰이 오는 21일 끝나면 곧 바로 별도의 IAEA대표단이 북한을 방문, 북한이 IAEA에 신고하지 않은 핵폐기물처리 시설등 2개의 미신고 시설을 둘러볼 것"이라고 말했다.

　　그는 또 "IAEA대표단은 이번 訪北에서 이들 미신고시설을 빠른 시일내에 IAEA에 신고, IAEA의 정기사찰에 필요한 시설목록 작성에 협조해줄 것을 북한측에 촉구할 것"이라고 덧붙였다.

　　북한은 최근 韓.美간 팀스피리트훈련 재개결정등을 이유로 南北韓 상호핵사찰 협상을 원점으로 되돌릴 수도 있다고 위협하는 가운데 IAEA 사찰마저 협조하지 않을 가능성도 시사했으나 2일 入北인 제4차 임시사찰단은 지난 3차례의 임시사찰때와 마 찬가지로 북한당국의 협조아래 별다른 장애없이 활동하고 있는 것으로 보인다고 외 무의 한 관계자가 말했다.(끝)

0081

(YONHAP)　921108　0704　KST

공　　　　　란

공   란

공　　　란

공   란

공   란

공   란

공   란

공   란

공　　　란

공 란

분류번호	보존기간

발 신 전 보

번 호 : WUS-5045   921110 1724 FY 종별 : 지 급

WAV -1646

수 신 : 주 미, 오스트리아 대사. 총영사

발 신 : 장 관 (미이)

제 목 : 북한 핵문제

1. 최근의 남북 핵협상 관련 동향을 평가할때 북한 핵문제 해결을 위한 대북
   협상과 제반 외교적 조치가 더욱 민감하고 중요한 시점이 되고 있으며,
   이에 대해 신중한 대처와 대비 활동이 요청되고 있음.

2. 이와 같은 상황을 감안 향후 북한 핵문제와 관련된 민감한 외교 사안(T/S
   훈련 문제 등), 대북 협상에 중대한 영향을 미칠수 있는 사안 및 관련
   접촉 활동 보고에 대해서는 보안 사항 누출 가능성을 방지하기 위해 2급
   및 3급 비밀 공히, 수신처를 장관 친전과 주무국으로만 타전하기 바람.
   (수신처 예 : 친전 - 미이, 친전 - 미이 - 국기) 끝.

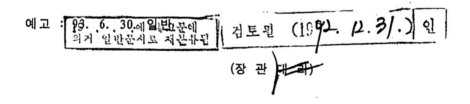

예고 : 93. 6. 30.에 일반문에
의거 일반문서로 재분류됨   검토필 (1992. 12. 31.) 인

(장관 대리)

국제기구국장 :

보 안 통 제	

앙고재	92년11월10일	북미2과	기안자성명 김진수	과장	심의관	국장	제차관보	차관 대결	장관

외신과통제

0092

공　　　　란

공   란

관리
번호 <u>92-1484</u>

발 신 전 보

WEC-0876   921112 1059 WG   종별: <u>긴급</u>

번 호 : _____

수 신 : <s>주</s> 장관 <s>대사.</s> 총영사 (친전-주EC대사 경유)

발 신 : 장 관 (차관)

제 목 : 북한 핵문제 관련 국내 보도

대 : FKW-0779

대호 2항 북한 핵문제 관련 사항 보고의 배부처 통제는, 장관님 서울
출발전 지시에 따라 이미 11. 10(화) 오후 주미대사와 주오스트리아
대사에게 아래와 같이 지시하였으며, 외신과에도 배부처 통제에
유의하도록 조치하였습니다.

- 아 래 -

가. 최근의 남북 핵협상 관련 동향을 평가할때 북한 핵문제 해결을
    위한 대북협상과 제반 외교적 조치가 더욱 민감하고 중요한
    시점이 되고 있으며, 이에 대해 신중한 대처와 대비 활동이
    요청되고 있음.

나. 이와 같은 상황을 감안 향후 북한 핵문제와 관련된 민감한
    외교 사안(T/S 훈련 문제 등), 대북 협상에 중대한 영향을
    미칠수 있는 사안 및 관련 접촉 활동 보고에 대해서는 보안
    사항 누출 가능성을 방지하기 위해 2급 및 3급 비밀 공히,
    수신처를 장관 친전과 주무국으로만 타전하기 바람.

    (수신처 예 : 친전 - 미이, 친전 - 미이 - 국기)   끝.

예고 : <u>동호 팔길·재분류(19__12.31.)</u> 인
    직위   성명

보안
통제

앙 고 재	92 년 11월 12 일	북미 2 과	기안자 성명 김전구	과 장	국 장	차관보	차 관	장 관	외신과통제

0095

클린턴 當選者 主要活動

1992. 11. 13.

外 務 部

11. 12 클린턴 美 大統領 當選者는 當選以後 최초의 公式 記者會見을 가졌으며, 政權 引受委員會의 分野別 實務 責任者를 任命한 바, 同 主要内容을 아래와 같이 報告드립니다.

1. 記者會見 主要内容

(韓半島 政策)

o 언젠가는 韓國이 自由 民主社會로 統一될 것을 기대함.

o 美國은 韓國의 安保를 위해 勢力으로 계속 남아 있기를 기대함.

o 北韓이 核武器를 개발하는데 成功을 거두지 못하게 될 것임.

    ＊ 東亞日報 기자 質問에 대한 答辯

0096

(對外政策 分野)

o 外交政策의 우선 순위는 美 國防力을 최강으로 維持하면서도
   多年에 걸친 國防豫算 減縮案을 확정하는 問題, 核 保有國과의
   核武器 減縮 노력, 大量 殺傷武器 擴散 防止, 中東平和 會談의
   지속적 推進, 主要經濟 大國과의 協調를 통한 世界 經濟의
   持續的 成長의 追求등임.

o 國務長官은 一貫性과 동시에 變化에 對處할 수 있으며,
   다음과 같은 使命을 이해하는 人物이어야 함.
   - 새로운 對外政策을 펴면서도 강력한 國防力 유지
   - 전 세계적인 經濟成長과 經濟活力의 회복
   - 民主主義와 自由의 擴散, 大量武器 擴散 防止를 위한
      超强大國의 역할 수행
   - 國務長官, 國防長官 및 安保 補佐官間의 協調關係도 중요

o 核擴散 및 관련 기술이전 防止를 위해 同盟國들과 각별한
   協力이 필요함. (北韓과 이란등 적성국가의 核武器 擴散에
   대해 答辯時)

(國內政策 分野)

o 國內政策의 優先順位는 經濟成長, 雇傭增大, 財政赤字 減縮,
   醫療保險制度 및 政治改革에 둘 것임.
   - 經濟問題에 초점을 맞추어 유능한 경제팀 構成 예정
   - 優先順位에 따라 忍耐心을 갖고 政策 추진 필요

0097

(閣僚人選 및 倫理規定)

o 新行政府 각료는 美國的 특징을 갖춘 다양한 背景의 人士로
  구성
  -- 정파를 초월한 超黨的 顧慮 및 새로운 倫理規定에
     부합하는 人物 선정
  - 新行政府의 새로운 經濟政策을 감안, 각 部處의 임무에
    대한 固定觀念 탈피

o 行政府의 政策이 특정 이익을 넘어서 一般 大衆의 利益을
  신장할 수 있도록 로비 및 選擧資金法과 公職者 倫理規定
  개정 推進
  ·· 選擧資金 支出規制를 통한 현직자의 유리한 立場 統制

2. 政權 引受委員會 實務 責任者 人選

o 大統領 및 副統領 취임식 준비 委員長으로 로널드 브라운
  民主黨 全國委員會 委員長을 11. 12 임명

o 經濟 및 外交安保政策 引受班長으로 로버트 라이크 하바드대
  敎授(로드 奬學生으로 클린턴과 留學 친구) 및 사무엘 버거
  前 國務部 政策企劃室 부실장을 각각 11. 12 임명
  - 外交安保政策 부반장으로 낸시 소더버그를 임명 (同人은
    88. 5 김근태에 대한 케네디 人權賞 施賞을 위해 로버트
    케네디 추모회 代表團 일원으로 訪韓)

0098

＊ 政權 引受委員會 委員長으로 버논 조단을, 事務局長으로
　　워렌 크리스토퍼 前 國務部 부장관을 11. 6 임명한 바 있음.
　　　- 조단 委員長은 현재 아킨. 겁 法律會社 파트너로 활동중
　　　　· 아킨. 겁사는 駐美 大使館에 대한 通商 자문회사
　　　- 크리스토퍼 事務局長은 1989년 大統領께서 라싱 世界
　　　　問題 協議會 演說時 각하를 소개한 바 있으며, 91. 3
　　　　訪韓時에도 각하를 예방

3. 觀察 및 評價

　o 금번 記者會見에서는 美國 經濟의 回復을 위한 政策 優先
　　順位에 자신의 견해를 집중 說明하였으며, 外交 政策에
　　대해서는 原論的 立場을 表明하였음.
　　　- 具體的 政策樹立에는 어느정도 시간 소요 예상

　o 단, 北韓 核問題와 관련한 核등 大量 殺傷武器의 확산 防止에
　　대해서는 수차 확고한 立場을 表明하는등 가장 중요한 安保
　　政策 과제로 强調함.

　o 또한, 對外政策 分野에 대한 質問과 答辯이 별로 없었던 점에
　　비추어 韓半島 政策에 대한 분명한 言及은 특기할 만 함.
　　　- 클린턴 當選者의 對韓 認識 확고
　　　　· "自由 民主主義 社會"로의 韓國 統一 희망
　　　　　(부쉬 行政府는 "南. 北韓 모든 韓國人에게 수락될 수
　　　　　있는 조건으로의 統一"을 支持)

　　　　　　　　　　　　　　　　　　- 끝 -

0099

報道資料

1992. 11. 13(金)
08:00 以後 報道

大統領 公報秘書室
春秋館 (770-0867)

盧 大統領, 클린턴 일문일답

노태우 대통령과 미국의 빌 클린턴 대통령 당선자는 13일 오전 8시
(미국시간 12일 오후 5시) 전화통화를 갖고 한.미 안보공약, 북한의
핵 개발 공동대응 문제등에 대해 약 20분간 의견을 교환했다.

노 대통령과 클린턴 당선자 사이의 대화 내용은 다음과 같다.

노대통령 :
안녕하십니까. 미국의 제42대 대통령으로 당선 된 것을 다시한번
축하 드립니다. 이번 귀하의 승리는 귀하가 제시한 비젼과 정책에 대한
미국민의 신임을 반영할 것 입니다. 본인은 지난 88년 9월 서울에서
만났던 것을 소중히 기억하고 있습니다.

클린턴 당선자 :
감사합니다. 저도 지난 88년 서울 올림픽을 바로 앞둔 시점에 방한 했을때
각하께서 한국 선수단 전원이 기다리고 있는 가운데서도 1시간을 할애 해
주신 것을 고맙게 생각하며 잘 기억하고 있습니다.

노대통령 :
세계가 이제 탈 냉전 시대로 접어 들었다고 하나 아직 불확실과 불안정
요소가 상존하고 있습니다. 본인은 귀하께서 미국의 범세계적 리더십이
지속되어야 한다고 말씀 하신 것을 잘 알고 있습니다.
본인도 미야자와 일본총리와 만나 앞으로 이지역의 평화와 안정을 위해
미국의 지속적인 역할이 필요하여 특히 이지역에서 미국의 군사력이 적절한
수준에서 유지되는 것이 바람직하다는데 의견의 일치를 보았음.

0100

클린턴 당선자 :
각하와 미야자와 총리와의 회담 내용을 잘 알고 있습니다.
이에 기자회견에서 밝혔습니다만 주한 미군은 필요가 있는한 계속 주둔 할
것 입니다.   북한의 핵 개발 저지를 위해서도 계속 적극 협조해 나아갈
것입니다.   한반도의 안보문제에 관해서는 지난 88년 만났을때 이미 한국의
입장을 들어서 잘 알고 있습니다.

노대통령 :
한. 미 양국은 외교, 안보, 경제 등 모든 분야에서 상호 긴밀한 우호 협력관계를
발전시켜 왔습니다.   본인은 한국의 민주화에 긍지를 느끼고 있으며 이러한
민주화 노력에 미국의 성원이 크게 도움이 됐습니다.   그러나 한반도는 냉전의
잔재가 아직 사라지지 않고 대립과 긴장이 계속되고 있습니다.   더구나
최근에는 북한의 핵무기 개발의혹이 이 지역뿐만 아니라 세계의 평화에도
큰 위협이 되고 있습니다.   오늘 아침 기자회견에서 북한의 핵 위협에 대해,
분명한 입장을 표시 해 주신것을 매우 마음 든든히 생각하고 있습니다.

클린턴 당선자 :
통화를 끝내기 전에 미리 하고 싶은 말이 있습니다.   먼저 한국의 민주화
성취를 축하합니다.   그리고 한. 미 간 교역이 계속 증가되어 양국간
무역역조가 해소되고 있는 것을 다행으로 생각합니다.   각하를 처음
뵈었을때 (88년 9월) 양국간 무역 역조는 8대 1이었으나 지금은 균형을
이루고 있는 것은 모두 각하가 노력하신데 따른 것으로 생각 합니다.
북한의 핵 무기 개발의혹에 대해서는 각하의 의견에 전적으로 동의합니다.
핵 문제 뿐 아니라 이란, 이라크에서와 마찬가지로 대량학살 무기 개발은
모든 인류에 대한 중대한 위협이며 이의 저지를 위해 각하와 최대한
협력해 나가겠습니다.

노대통령 :
한국은 아시아에서 동맹국 겸 동반자로서 계속 필요한 역할을 해 나갈것이며
특히 평화와 안정의 유지와 민주주의, 시장경제의 확산을 위해 협력 할
것입니다.   힐러리 여사에게도 본인 내외의 각별한 안부를 전합니다.

클린턴 당선자 :
감사합니다.   앞으로 계속 협조해 나가기 바랍니다.

0101

報 告 事 項

報告畢

1992. 11. 16.
외교정책기획실
특수정책과(142)

題 目 : 북한, 노대통령-클린턴 전화통화(11.13) 내용 비난

(11.15. 평양방송 보도)

1. 방송요지

o 남조선 최고 당국자의 주한미군주둔 요청은 외세에 의한 영구분열을 획책
  하는 사대매국적이며 반통일적인 작태임.

o 핵개발의혹을 운운하며 미국에 공동대처를 요청한 것은 미국의 새행정부로
  하여금 남조선에 배비된 핵무기의 완전철수 용단을 내리지 못하게 해보려는
  궤변임.

* 이에앞서 북한은 11.13. 민민전 방송을 통해 클린턴의 기자회견 내용 및
  노대통령과의 전화통화 내용을 아래요지로 비난한 바 있음.
  - 미국 대통령이 바뀌어도 한국에 대한 미국의 식민지 지배를 계속하겠다는
    속셈을 드러낸 것이며 북침을 통한 승공통일을 이루려는 미국의 대한반도
    정책이 변치않을 것임을 시사해 준 것임.
  - 승공흡수통일을 꿈꾸고 있는 남조선을 남북대결과 침략적인 전쟁도발
    책동에로 부추기는 망언임.
  - 클린턴이 대통령에 당선되자마자 침략적인 망언을 한 것을 용납할 수 없음.

2. 분석 및 평가

o 북한은 클린턴 당선직후 당선사실을 논평없이 짤막하게 보도하여 미국의
  새행정부에 대해 관망의 자세와 함께 기대감을 표시한 바 있음.

o 이어 기자회견등을 통해 주한미군, 핵 및 통일문제에서 한국 정부와 보조를
  같이한 클린턴을 비난은 하면서도 대남선전매체인 '민민전' 방송을 이용
  함으로써 일단 미국의 새행정부에 대한 직접 비난을 삼가는 자세를 보임.

o 다만 북한은 공식적인 대남 및 대외방송인 평양방송을 통해서는 노 - 클린턴
  전화내용중 노대통령(혹은 남조선 당국)의 태도만을 집중 비난함.   끝.

예 고 : 발행처 : 92.12.31. 일반
        수신처 : 독 후 파 기

0102

報 告 事 項

報告畢

1992. 11. 16.
외교정책기획실
특수정책과(141)

題 目 : 북한, T/S훈련 불중지시 남북고위급회담 중단 위협

1. 주러시아 및 주중국 북한대사 기자 회견

   ○ 주러 북한대사 손성필 기자회견(10.29 및 11.14) 발언

   "만약 미국과 남조선 당국자들이 우리의 정당한 요구를 외면하고 도발적
   이고 침략적인 팀스피리트 합동군사훈련을 끝끝내 재개한다면 우리는
   북남 고위급회담을 비롯한 남조선 당국과의 모든 대화와 접촉을 동결
   시킬 것이다"

   ○ 주중 북한대사 주창준 기자회견(11.2) 발언

   "만약 그들이 합동군사훈련을 끝끝내 감행하는 길로 나간다면....
   북남 고위급회담을 비롯한 쌍방 당국사이의 모든 대화들이 좌절당하게
   될 것이다."

2. 주러 북한대사, 러시아 외무부 아.태국장을 방문(11월초) T/S 재개 반대 입장 표명

   ○ 동 국장, 주중 아국대사 접촉시(11.13) 상기 언급하면서 T/S훈련 재개시 북측
   태도가 예측 불허한다는 우려 표명함.

   ○ 동 국장은 북측에 러시아도 동 훈련을 반대하고 있으나, T/S훈련을 구실로
   남북대화가 중단되어서는 안된다는 점을 강조했다 함.

끝.

예 고 : 발행처 : 1992.12.31.에일반고문제수처 : 특수정책과
의거 일반문서로 재분

0103

공 란

공 란

공 란

공   란

공　　란

공   란

공 란

공   란

공   란

공 란

공   란

공   란

공   란

공   란

공   란

長 官 報 告 事 項

1992. 11. 20.
美 洲 局
北 美 1 課(124)

題目 : 아마코스트 주일미대사 강연

> 아마코스트 주일미대사는 금 11.20. 한국외교협회에서 일본과 관련된 동북아
> 안보정세를 주제로 강연하였는 바, 주요 내용을 아래 보고드립니다.

1. 일본의 전반적 동북아 정세 평가

   o 냉전종식 이후 새로운 세계질서에 대해 일본은 대체로 만족하고 있으나 2가지
   불확실성에 대해서는 일본 내부에서 우려의 목소리가 있음.
   - 교역문제를 둘러싼 미·일 우호관계 저해 가능성
   - 일본의 원활한 대아시아 정책 추진이 주변국과의 이해조정 차질로 어려움에
     처할 가능성
     · 러시아와의 북방영토 분쟁 문제
     · 한국과의 과거사 해결 문제등

   o 미국 역시 이 지역의 안정을 위해 계속 개입해 나갈것이며 일본이 주변국들과의
   선린 우호관계를 유지토록 지원할 것임.
   - 한·미·일 3각 동맹체제도 변함이 없을 것이며 미국은 양국과의 기존의
     방위 조약을 준수할 것임.
   - 비록 클린턴 미 대통령 당선자가 방위예산의 감축을 주장하나 주 대상은
     유럽주둔 미군을 목표로하고 있음.

2. 일본의 P.K.O 법안 및 군사대국화 가능성에 대한 평가

   o 아시아 제국은 P.K.O 법안이 궁극적으로 일본의 군사대국화를 초래할 것
   이라는 우려를 하고 있으며 자위대의 전력증강에 의심을 하고 있으나, 일본은
   과거와 같이 군국주의의 길로 나서지 않을 것임.
   - 걸프전 당시 미국이 일본에게 의료지원단 파견을 요청한 것은 자유세계
     국가들과의 연대감을 보여달라는 주문이었음.

0119

- P.K.O 법안 통과 자체가 2년이나 걸린 이유는 국민들 내부에 방위예산 및 병력 운용을 둘러싸고 자체 저항 및 이견이 많았음을 증명
- 만일 캄보디아 평화유지군중 사상자가 발생할 경우 국민들이 평화유지 활동에 더 많은 통제 시도 예상

3. 일본의 플루토늄 수송문제와 핵무장 가능성

ㅇ 미국은 일본의 플루토늄 수송에 있어 문제점이 야기되지 않을 것으로 판단하고 있음.
- 일본은 미국과의 협약에 따라 모든 안전조치를 강구하고 있으며, 미국과 정보를 계속 교환중
- 미국 역시 안전수송을 위해 필요한 지원을 제공중

ㅇ 미국은 또한 일부의 우려와는 달리 일본이 향후 수입 플루토늄을 이용하여 핵무장의 길로 나서지 않을 것으로 확신함.
- 국제사회내에서는 이미 핵확산 저지를 위한 합의와 연대의식 존재
- 일본 역시 국내외 정치적 부담때문에 핵무장이 어려울 것으로 관찰

4. 일본 및 미국 정부의 대북관계 정상화 가능성

ㅇ 남·북 상호사찰이 이루어지고 북한의 핵개발이 저지될 경우, 일본은 북한과의 국교수립에 적극 나설것으로 보여지나 미국은 동 문제에 있어 한국과 계속 공동보조를 이루어 나갈 것으로 판단함.
- 일본은 동북아에 있어 주도적 영향력 행사 회망
  · 단, 일본 역시 경협등 자금 지원을 둘러싸고 북한과 계속 이견 노출
- 미국은 북한이 한국을 제치고 직접 교섭해 오려는 노력에 대해 계속적으로 제동을 걸어나갈 예정

0120

5. 미국 신행정부 출범과 미·일 관계

    o   클린턴 신행정부가 경제문제에 촛점을 두고 있으며 대일무역 역조 시정에
        가장 큰 역점을 두고 있다고는 하나, 미·일 관계는 앞으로도 계속 선린 우호
        관계로 유지될 것임.
        -   클린턴은 선거기간중 다른 민주당 후보에 비해 미국민의 대일 감정을
            가장 적게 이용
        -   대일 무역역조 문제는 대일 수입증가보다 대일 수출의 쇠퇴에서 비롯
            되었기에 궁극적으로 미국 국내 경제 개편문제가 더 중요
        -   현재 자동차 산업등에서 미국의 활력이 회복중
            ·   단, 농산물등 개별 문야에서의 마찰과 긴장요소 표출은 가능

6. 한국의 대일 관계 개선 방도

    o   한국이 일본과의 관계를 지속적으로 유지해 나가기 위해서는 양국이 서로의
        입장에서만 상대를 보지말고 다양한 접촉수준의 확대를 통해 상호이해를
        증진해 나가야함.
        -   기본적으로 한국의 대일자세는 감정적이며 일본의 대한자세는 오만함.
        -   양국 학자, 관료, 군인등 다양한 집단의 다양한 의사소통 채널 유지
            필요성

    ※   아마코스트 대사의 강연 내용중 상당부분은 그렉 주한미대사가 보충 설명

                                                                    - 끝 -

공 란

공 란

공   란

외 무 부

관리
번호 : 92
-1541

종 별 :

번 호 : USW-5744

일 시 : 92 1123 2121

수 신 : 장 관 (미일,미이,정총)

발 신 : 주 미 대사

제 목 : 제 1 차관보 방미활동(II)

연: USW-5677

1. 1 차관보는 금 11.23. 오전 ABRAMOWITZ 카네기 연구소장을 면담, 클린튼 미 행정부의 정책 전망및 한반도 정세등에 관해 의견을 교환하였음.

2. ABRAMOWITZ 소장은 향후 미 행정부의 정책은 변화와 계속성을 동시에 갖추게 될 것이며, 한반도에 관해서는 북한의 핵 위협이 해소되지 않는 한 강력한 정책을 유지하게 될 것이라고 전망하였는바, 동 내용은 다음과 같음. (이하 동 소장 언급 요지)

가. 정권인수반 동향

- 현재로서는 향후 내각 인선등과 관련 알려진 내용이 거의 없으며, 국무.국방, NSC 등 중요직은 12 월초에 가야 윤곽이 밝혀질 것임.

- 본인으로서는 클린튼에게 직접 자문을 제공하고 있지는 않으며, 정상적인 연구 소의 활동을 통해 신행정부의 정책방향에 기여하고 있는 정도임. (동 소장은 연구소는 초당적 기관이므로 특정정당에 대한 자문은 제공치 않고 있다는 신중한 입장을 보였으나, 동 연구소 연구원들은 제반 현안에 대해 의견서 제출 등을 준비하는 것으로 관찰되었음.)

나. 클린튼 행정부의 정책전망

- 클린튼 행정부의 등장은 새로운 세대의 등장을 의미함.(CLINTON, GORE 공히 2차 대전 이후 세대), 따라서 새로운 사고가 정책에 반영될 것임.

- 다만, 클린튼 자신과 참모들이 매우 신중하고, 계속성을 중시하고 있어, 많은 분야에서 현재의 정책이 연장되어 나갈 것임. (특히 동맹국들과의 관계 유지등 안보 분야에서는 현재의 정책 지속)

- 알려진 바대로, 경제. 재정.무역 정책에 큰 비중을 둘 것이며, 세계 경제 전반의

미주국	장관	차관		미주국	외정실	분석관	청와대	안기부

PAGE 1

92.11.24   13:19

외신 2과 통제관 CM

0126

계속 성장을 위한 주요국가와의 협력을 중시하게 될 것임.

- 또한, 민주주의와 인권도 과거보다 크게 강조하게 될 것임.

- 지역문제에 있어서는 유고, 이락 문제가 당장 시급히 대처해야할 과제이며, 러시아의 개혁 성공 여부도 긴급히 대처해야 할 문제임. 중국문제도 항시 긴급한 과제가 될 수 있는 문제임. (한국은 상대적으로 안정적인 상황인 것으로 평가)

- 중국에 대해서는 계속적인 경제발전을 통한 시장경제의 확대와 비권위적 정치 체제로의 변화를 희망하게 될 것이나, 미 국내적인 필요가 있어 강력한 입장 표시도 불가피함. 따라서, 중국 문제는 양자 사이에서의 균형이 필요한 복잡한 문제임. (본인은 특히 중국이 아시아 지역 대화의 일원이 되기를 희망)

- 일본은 미국의 가장 중요한 동맹국임에는 틀림없는바, 여러 문제를 해결하기 위해서는 미.일간 협의를 더욱 긴밀히, 활성화 해야함.

- 또한 중.장기적으로 일본이 유엔등에서 보다 확대되고, 건설적 역할을 맡도록 고무하게 될 것이며, 한. 일 관계의 발전과 중.일간 정 치적 협력 관계의 진전도 미지역에서 중요한 목표가 될 것임.

다. 대한반도 정책

- 북한의 핵개발 위협에 대해서 신행정부는 현행정부 못지 않게 강력히 대처할 것임.

- 현재로서는 주한미군 문제는 더이상 현안 (ISSUE)이 되지 않는다고 생각함. 주한 미군의 감축은 이미 부쉬 행정부에서 시작된 문제이며, 한국은 충분히 자체 방위력을 증진시켜 왔음.

- 클린튼 행정부는 비확산 문제를 매우 중요한 과제로 취급할 것이기 때문에 주한 미군에 큰 변동이 있을 것으로 전망되지 않음.

라. 한반도 정세

- 금번 엘친 러시아 대통령의 방한과 한반도 문제에 대한 제반 입장 표명은 북한에 대해 큰 타격을 준 것이 틀림없으며, 모든 제반 주변환경도 북한 정권을 약화시키는 방향으로 진행되고 있음.

- 중.장기적으로 북한에는 순조로운 권력 이양이 불가능하며, 혼란스러운 상황이 발생하게 될 것으로 보임. 따라서 통일은 점진적인 것이 아니라 급격한 사태를 통해 이루어질 가능성이 더욱 많을 것으로 봄.

- 북한은 현재도 핵문제와 관련 기만 (CHEATING)을 계속하고 있다고 생각함. 이와

관련, 한. 미 양국은 북한에 대해 계속 강력한 압력을 가해야 하나, 동시에 한국과 여타국가들이 가능한 범위내에서 접촉을 통해 북한에 대해 긍정적 영향을 미치도록 노력하는 것이 필요하다고 봄. 이러한 접촉은 또한 장기적으로 북한 체제를 약화시키는 효과를 갖게 될 것임.

　　마. 아시아에서 미국의 장기적 역할

　　- 미국은 아시에서 계속 경제적인 유대를 강조해야 하며, 이지역에서 안정과 평온 (TRANQUILLITY) 가 유지되도록 지도적 역할을 해야함.

　　- 이와관련, 미국은 동맹국들뿐 아니라 과거의 적들과도 대화를 발전시켜 나가야 함. 과거의 이념에 따른 대립이 종식되었는바, 여타의 분쟁은 이러한 대화의 발전에 큰 장애가 된다고는 생각치 않음.

　　3. 제 1 차관보는 ABRAMOWITZ 소장과의 면담주, 북한 위협의 존속에 따른 강력한 한.미 안보협력 관계 특히 주한미군 유지가 필요함을 강조하였으며, 또한 북한 핵문제와 관련 상호사찰의 달성을 위한 한. 미 양국간 강력한 입장 견지, 한.미.일 3 국간 협력의 중요성등을 상세히 설명하였음.

　　4. 한편, 제 1 차관보는 동 연구소 소속 SPECTOR 비확산담당 연구원을 별도접촉하였음.

　　- 동 연구원은 현재 정권 인수팀에 대해 군축정책 방향에 대한 건의서를 작성중에 있다고 하면서, T/S 훈련 결정 문제와 관련, 결정시기를 언제까지 미룰수 있을지에 관심을 표명하였음.

　　- 이에대해 아측은 T/S 훈련에 대한 결정이 현실적 필요에 따라 조속 이루어 져야 한다는 점을 설명하였던바, 동 연구원은 T/S 훈련이 기본적으로 한국정부에 의해 결정될 것이긴 하나, 미 행정부의 정책에도 영향을 미치는 것으로 보이기 때문에 미행정부 측이 어떠한 대안을 갖을 수 있는지 정확한 인식을 필요로 한다고 설명하였음.

　　- 아측은 신행정부도 북한에 대해 강력한 입장을 초기에 보이는 것이 바람직할 것이라는 점을 설명한바, 동 연구원도 개인적으로 이에 적극 동의한다고 하고, 다만 4 월에 가서 동 문제에 대한 재검토가 가능한지 연구중이라고 답변함.

　　5. 제 1 차관보는 하원 WILSON 의원 (민주, 텍사스), BROWDER (민주, 알라바모)와도 면담하였는바, 동 요지 별전 보고함. 끝.

　　(대사 현홍주-장관)

PAGE 3

0128

공   란

공   란

공   란

공 란

공   란

공   란

공　　　란

공   란

공　　　란

공 란

공   란

외 무 부

110 760 서울 종로구 세종로 77번지 / (02)720·2336 / (02)720·2686

문서번호 국기20332-732

시행일자 1992.11.30.( )

취급		국제기구국장
보존		
국 장	전결	
심의관		
과 장		
기안	최연호	협조

수신 아주국장

참조

제목 제1차 한.태 정책협의회

대 : 아동 20232-1853

표제회의 자료를 별첨 송부합니다.

첨부 : 표제회의 자료 1부. 끝.

국 제 기 구 국 장

0141

북한 핵사찰 문제

o 지난 4월 북한-IAEA간 핵안전조치협정의 비준, 발효후 북한은 5월4일 핵물질 및 시설 관련 최초보고서를 IAEA에 제출하였고, IAEA 사무총장의 방북(5.11-16) 및 4차례 임시사찰 실시(5.25-6.5, 7.5-21, 9.1-11 및 11.2-14)를 통하여 북한의 핵개발 현황은 어느정도 밝혀지고 있음.

o IAEA 사찰 결과, 북한이 방사화학 실험실이라고 주장하고 있는 재처리시설의 건설 목적 및 동 실험실에서의 플루토늄 추출사실등과 관련 북한의 핵개발 의혹은 상금 완전히 해소되지 않고 있음.

o 북한 핵문제 해결은 남북한간 긴장완화와 동북아지역정세 안정에 긴요한 바, 지난 9월 IAEA이사회 및 36차총회시 귀국을 포함한 다수국가들도 발언을 통해 북한 핵 문제 해결의 중요성을 지적하였음.

o 따라서 우리는 IAEA의 지속적이고 철저한 대북한 사찰실시와 함께 북한이 한반도 비핵화 공동선언 (91.12.31)에서 남북한이 보유하지 않기로 합의한 핵재처리 시설의 건설을 중단하고 남북한간 상호사찰을 조속 이행해 줄것을 촉구하고 있음.

o 금후에도 북한 핵문제에 대한 귀국의 적극적인 지지와 협조를 요망함.

0142

o North Korea submitted its initial report on nuclear materials and facilities on May 4th, 1992 after the ratification and entry into force of its Safeguards Agreement with the IAEA last April. Through the Director General's visit and four ad hoc inspections to North Korea, much has become known about North Korea's nuclear development program.

o However, many suspicions surrounding North Korea's nuclear activities have yet to be cleared in relation to the construction of the nuclear reprocessing facility (the so-called "radiochemical laboratory") and the separation of plutonium from spent fuels at this facility.

o Resolving questions concerning North Korea's Nuclear Weapon Program is essential to easing tension between the two Koreas and to achieving stability in North-east Asia. More than 20 Member States of the IAEA including your country stressed the importance of doing so at its September Board and General Conference meetings.

0143

o Therefore, we urge North Korea to cease construction of the radiochemical laboratory in accordance with the "Joint Declaration of the Denuclearization of the Korean Peninsula", whereby South and North Korea agreed not to possess nuclear reprocessing facilities. At the same time, we urge North Korea to move forward to establish a mutual inspection regime with us at the earliest possible date.

o In this respect, we request that your Government closely cooperate with my country on this matter at all international fora, particularly the IAEA.

0144

국제원자력기구(International Atomic Energy Agency) 개황

1. 설 립 : 1953. 12. UN 제8차 총회에서 Eisenhower 미대통령 제창

   1956. 10. 기구 창립, 1957. 7. 발효

2. 소재지 : 오스트리아, 비엔나(UNO 건물)

3. 회원현황 : 119개국 (92.11 현재)

4. 목적 및 기능 :

   ○ 원자력의 평화적 이용 증진

      · 원자력 기술지원 및 협력 제공

   ○ 원자력의 군사적 이용 금지

      · 안전조치제도(Safeguards) 수립 및 운영

5. 총회(General Assembly)

   ○ 매년 9월 Vienna에서 개최

   ○ 기능 : 이사국 선출, 사무총장 임명, 예산승인, 년차 보고서 심의등 IAEA
            최고의사 결정기관

6. 이사회(Board of Governors)

   ○ 구성 : 35개 이사국(당연직이사국 : 13개, 지역이사국 : 20, 윤번이사국: 2)

   ○ 회의 및 기능 : 매년 4회(2월, 6월, 9월 및 12월) 개최,
                   총회를 대신하여 IAEA의 실질적인 정책 결정

0145

7. 사무국(Secretariat)

    o 구성 : 사무총장(Dr. Hans Blix, 스웨덴인, 1981 현재)

        산하 5개부에 1700여 직원이 근무

    o 기능 : 총회 및 이사회에서 결정된 사항을 집행

8. IAEA에서의 한.태 협력

    o 태국은 IAEA 9월이사회 (92.9.16 17) 및 36차 IAEA총회 (9.21 25)시 북한의
        IAEA 안전조치 협정의 이행과 한반도 비핵화 공동선언 이행의 중요성 강조등
        아국입장을 지지하는 발언을 하였음.

0146

\multicolumn{7}{c}{**정 리 보 존 문 서 목 록**}						

기록물종류	일반공문서철	등록번호	32704	등록일자	2009-02-26
분류번호	726.61	국가코드		보존기간	영구
명 칭	북한 핵문제, 1992. 전13권				
생 산 과	북미1과/북미2과	생산년도	1992~1992	담당그룹	
권 차 명	V.13 12월				
내용목차	* 북한 핵관련 대책, 한.미국간 협의, 미국의 사찰과정 참여 요구 등				

0001

가

, 92 - 제 540 호

한민전 중앙위, 한국 핵무기 개발 진상공개장 발표

92, 12, 1, 19:10. 민민전

한국민족민주전선 중앙위원회는 일본 대표부를 통해 한국 핵무기 개발 진상공개장을 발표했습니다. 한국 핵무기개발 진상공개장 전문은 다음과 같습니다. 한국 핵무기 개발 진상공개장. 남북간에 비핵화 공동선언이 채택 발효되고 그의 이행문제가 일정에 오르고 있음에도 불구하고 한국은 의연히 핵무기 개발을 추진하고 있다. 지금 한국에서는 방대한 기술인력과 자금이 핵무기 개발에 투하되고 핵폭약의 수출과 핵탄의 제작, 핵운반수단의 생산이 가속화 되어 핵무장화가 가시화 되고 있다. 한국의 핵무기 개발은 주한 미군의 핵무기와 함께 한반도에서 핵위험을 조성하는 또하나의 진원으로 되고 있다. 그러나 이 가공할 사태가 이북에 대한 핵사찰이라는 모략적인 정치공세의 연막속에 가려져 지탄의 대상이 되지 못하고 그대로 방치되어 있어 심각한 우려를 자아내고 있다. 한국민족민주전선 중앙위원회는 한반도의 비핵화 평화를 위해 한국 당국자들의 반민족적이고 반인류적인 엄청난 핵무기 개발의 진상을 내외 여론과 국제사회앞에 공개한다. 1.핵무기 개발 정책과 그 전개과정. 핵무기 개발은 한국의 역대 집권자들이 이른바 승공통일의 야

- 1 -

0002

망을 실현하기 위한 필수적 수단으로 삼고 필사적으로 추진 가속화해온 군사정권의 기조 정책이다. 한국의 핵무기 개발은 군사파쇼 통치의 심화와 궤를 같이하면서 1960년대말에 정책화 되고 70년대의 정지작업과 80년대의 본격화 단계를 거쳐 90년대에 이르러 실용화 단계에 진입하고 있다. 한국 당국자들의 핵무기 개발 계획이 정책화 된 것은 1960년대말이다. 지금으로부터 근 30년전인 1965년 군사파쇼 정권의 핵심부에서 부터 거론되기 시작한 핵무기 개발 논의는 69년 닉슨의 괌 독트린 발표와 때를 같이하여 한국 정권의 극비정책으로 책정되었다. 군사 쿠데타로 정권을 탈취한 박정희는 국가안보를 위해 가능한 모든 수단을 동원하여 핵무기를 개발할 것이라고 공언하고 핵무기 개발을 저돌적으로 추진하였다. 1969년 5월 제 172차 한국원자력위원회가 확정한 원자력연구개발 장기 이용 계획서는 박정희의 이같은 정책의지를 반영한 핵무기 개발계획서였다. 이 계획서에는 제 3차 경제발전 5개년계획기간인 1972년부터 76년까지 핵연료 재처리체계에 관한 기술 경제적 검토를 끝낸뒤 제 4차 경제발전 5개년계획 기간인 1977년부터 81년까지의 기간에 재처리 시설을 설치해야 한다고 지적되어 있다. 그리고 1970년말 박정희는 자기의 비밀특별위원회인 병기개발위원회에서 핵무기 개발 추진안을 정부 방침으로 결정하였다. 1960년대에 핵무기 개발의 총계획도를 작성한 한국 당국자들은 70년대에 들어서자 자주국방의 구호밑에 거액의 비밀 자금을 쏟아부으면서 핵정책을 전격적으로 실행해 나갔다. 자주국방론의 중핵적 내용이며 최종적 목표는 이북을 겨냥한 핵무기 개발이다. 박정희는 스스로 총책이 되어 중화학공업 및 방위산업담당 수석비서관 오원철을 보자관으로 두는 동시에 최형섭 과학기술처 장관과 주재양 원자력연구소 특수사업담당 부

- 2 -

0003

소장, 김철 원자력연구소. 대덕분소 공정개발실장을 축으로 하는 핵무기 개발 실무진을 꾸리고 연구기관들을 잇따라 설립하여 핵무기 개발의 골격구조를 완성하였다. 박정희 정권은 20여명의 두뇌진들을 재처리 시설과 핵무기 개발시설을 가지고 있는 유럽나라 연구소들에 급파하여 1년동안 연수시켰다. 동시에 주재양을 프랑스를 비롯한 핵보유국들에 파견하여 핵무기 개발공정을 탐지케 한 후 캐나다의 에나르엑스 연구로를 도입하여 핵폭탄을 개발해낸 나라의 핵무기의 개발 경험을 한국의 모델로 선택해야 하고 핵폭약 추출, 핵탄제조, 핵운반 수단의 개발을 함께 밀고 나가도록 하였다.

1976년 핵전쟁연습인 팀스피리트 한미 합동군사훈련이 개시되면서 박정희 정권은 핵무기 개발 연구에 더욱 박차를 가하였다. 이렇게 되어 70년대말에 이르러서는 핵무기를 실험적으로 제조할 수 있는 기본토대를 구축함으로써 핵무기 개발의 교두보를 확보하였다. 이 시기 박정희는 핵무기 생산공장의 비밀공사를 제기한 측근에게 이제 곧 되니 관계하지 말라, 핵무기만 다 되면 대통령을 그만두고 영남대학에나 내려가겠다고 하였으며 최형섭 전 과학기술처 장관 역시 박대통령의 지시만 있으면 1-2년안에 우리는 핵폭탄을 만들 수 있다고 술회하였다. 박정희의 딸 박근혜 역시 1979년 10.26 저격사건 당시 미사일 개발에서는 이미 성공했고 핵무기 완성도 눈앞에 두고 있으며 필요한 물질의 확보에도 성공했다고 증언한 바 있다. 1979년 10월26일 박정희 사살로 한국에서 핵무기 개발은 좌절된 것이 아니라 1980년대에 들어와 전두환 정권에 의해 원자력 기술발전의 국산화 라는 간판밑에 보다 은폐된 방법으로 각개약

- 3 -

0004

진으로 추진되었다. 전두환이 집권한지 6개월만인 1981년 5월 청와대에서는 일시 중단되었던 핵무기 개발을 재개하기 위한 극비모임이 있었다. 이에 관여했던 익명을 요구하는 한국의 고위 핵전문가는 그때를 회고하며 많은 어려움에도 불구하고 핵연료주기를 완성시키는 쪽으로 가게 되었다면서 핵연료 주기의 완성은 요란하게 소리를 내면서 추진하는 것보다는 학계, 연구소, 기업 등이 유기적으로 결합돼 분야별로 착착 기술을 축적해 나가는게 효과적인 것으로 논의되었다고 술회하였다. 이같은 작전에 기초하여 전두환 정권시기 핵개발은 처음부터 원자력 전문연구소들이 기계적으로 통합되어 에너지 연구소로 위장되고 모든 핵무기 개발공정이 원자력기술발전, 또는 산업용이라는 연막속에서 추진되면서 공업적 단계의 핵개발로 이어지게 되었다. 전두환 정권의 원자력발전의 국산화란 바로 원자력의 자립적 토대 구축이라는 미명하에 군사적 목적의 재처리 시설을 가지기 위한 것이었으며 핵탄개발 기술을 축적하기 위한 것이었다. 전두환 정권은 1982년 한-미 원자력공동상설위원회에 제출한 사용후 핵연료 관리의 문제점이라는 보고서에서 92년부터 연 250톤 규모의 재처리 시설을 가동시키고 그것을 95년에는 500톤, 2천년에는 천톤규모로 확장시. 나갈 것을 제기하였다. 이어서 87년부터 재처리 공정을 모두 갖추고 있는 시험시설을 가동시킴으로써 한국은 핵탄의 핵심물질인 플루토늄을 추출하고 핵폭탄을 제조할 수 있는 기본적인 토대를 닦게 되었다. 1980년대말부터 노OO정권은 이북의 핵개발을 가들면서 한국에서의 핵개발에 더욱더 박차를 가해왔다. 1989년 8월18일 합동참모본부로부터 국방장관에게 제출된 극비보고서에는 한국의 핵무장화를 서들러야할 필요성과 핵무기 개발을 완성하기 위한 방도가 구체화 되어 있었다.

- 4 -

0005.

·- 그리고 91년 4월 북한 원자로에 대한 선제폭격을 선언해 국민적 지탄의 대상이 되었던 이종구 전 국방장관은 그해 6월에 핵무장 선택권을 가져야 한다는 보고서를 들고 방미를 앞둔 노00를 찾아가 우리 나름의 독자적인 핵무장화가 필요하다는 것을 역설하였다. 노00는 이에 대해 나도 나름대로 생각이 있다고 말했다. 노00의 나름대로의 생각이란 미제 상전의 비위를 맞춰 이북에 대한 핵사찰 소동을 더욱 끈질기게 계단식으로 확대해 나가면서 그 막뒤에서 단계적으로 한국의 핵무기 개발을 합법화, 실용화 하려는 것이었다. 오늘 노00 정권은 앞에서는 한국의 비핵화를 선언하고 돌아 앉아서는 핵무기 개발을 서두르는 한편 북방정책으로 구 소련과의 핵기술 협력의 길을 터놓고 달라의 흥정판위에서 재처리 기술과 심지어 고농축 우라늄과 플루토늄을 반입하기 위한 작전까지 펴고 있다. 한국 정권의 핵개발 정책은 원자력의 평화적 이용이 아닌 핵무기 개발에 초점이 맞추어져 그것이 역대 군사파쇼 정권의 일관한 안보정책의 핵심사안으로 견지되고 체계적으로 시행되어 왔다. 바로 60년대의 정책화 단계로부터 70년대의 실험적 개발단계와 80년대의 산업적 개발단계를 거친 한국의 핵무기 개발은 90년대에 들어와 노골적인 핵무장화에로 이어지고 있다. 　　2. 핵무기 개발 잠재력과 그 위험성. 　　핵무기를 개발할 수 있는 실제적 잠재력과 위험성은 핵연구 기술인력의 상태와 핵물질의 비축, 핵개발 기지의 시설구조에서 집중적으로 표현된다. 한국은 집요한 핵개발 추진과정을 통하여 이 세가지 요건에서 이미 위험수위를 넘어섰다. 1만 5천명의 핵무기 개발기술군단. 　　한국의 핵개발 기술인력은 1989년 현재 무려 1만 5천명에 이르고 있으며 이 가

- 5 -

0006

운데서 박사급만도 1,500명에 달한다. 이것은 당시 핵대국들인 프랑스의 2만명, 영국의 1만 6천명을 따라잡고 있는 것이었으며 잠재적인 핵대국으로 부상되고 있는 일본의 핵기술 인력보다도 웃도는 숫자이다. 문제점은 이 방대한 핵기술 인력이 평화적인 원자력개발 인력이 아닌 군사적인 핵무기 개발 군단이라는데 있다. 한국의 핵기술 인력은 그 자체가 핵무기 개발을 위해 모집된 인력들이며 그들의 골간을 이루는 두뇌진들은 대다수가 해외에서 군사 과학연구에 종사해온 학자 전문가들이다. 바로 핵무기 개발이 청와대의 정책의지로 굳어지게 되자 독재정권은 70년대초에 당시 과학기술연구소 초대 소장을 역임한 최형섭 과학기술처장관을 책임자로 하는 우수 기술인력 확보팀을 구성해 해외를 누비게 하였다. 한국 정부는 미국의 핵물리연구 계통에서 벤자민 리로 지목되던 페르미 연구소의 이휘소 박사와 미국 MIT대학에서 화공분야를 전공한뒤 핵연료관계 연구를 하고 있던 주재양, 1972년부터 미국 우주항공국 산하의 젯트 기관연구소에서 화성탐색선 개발계획에 참여하고 있던 김병구, 매사츄세츠주의 나틱크 육군연구소에서 근무하던 길철을 비롯한 수십명의 미국 핵 개발연구 계통의 전문 학자들을 국내에로 유치했다.

한국의 핵관련 연구기관들은 기지들은 이들을 골간으로 하여 꾸려졌고 그의 사명은 처음부터 핵무기 개발을 부문별로 전담하여 연구하는 것이었다. 재처리 사업과 연구로 개발사업을 전담한 원자력연구소와 핵폭탄 설계와 유도탄 개발사업을 전담한 국방부 산하 국방과학연구소, 핵탄 제조를 담당한 핵개발 공단은 한국 핵무기개발의 3대 기둥이다. 핵연구개발의 총본산으로 불리는 한국원자력연구소의 기본임무는 핵무기 개

- 6 -

0007

발에서 핵심물질인 고농축 우라늄 235와 플루토늄 239를 생산하기 위한 과학기술적 문제들을 해결하는 것이었다. 이 연구소의 총 인원은 2,298명 이며 그중 연구기술직 인력이 939명으로서 이것은 일본의 원자력연구소의 2,460명과 맘먹는 숫자이다. 이 연구소의 소장 한필수는 공군사관학교 물리학과 주임교수로 있다가 1970년에 국방과학연구소 제 13 사업단장을 거쳐 82년에 에너지연구소 대덕공학센터 소장, 84년부터 원자력연구소 소 장직을 맡게된 원자력을 전략적 차원에서 다루려는 경향성이 강한 인물 로 평가되고 있다. 1970년에 발족된 국방과학연구소는 핵운반 수단을 비 롯한 전략무기 개발과 해외무기 구입, 무기의 평가 등을 관장해왔다. 특 히 1991년 12월부터는 그 업무가 대폭개편되어 일반상용무기 개발연구관 리는 민간방위산업체에 넘기고 전략비밀무기와 핵심기술, 부품중심의 종합 무기 체계개발 즉 핵운반수단들인 중장거리 미사일 개발과 핵무기 배치 체계인 지령 및 조종체계 전산화, 통신 및 정보체계 연구를 전담하게 되었다. 국방과학연구소 김하국 소장은 ::2 소총에서 현무 유도탄에 이르기 까지 무기 자체개발과 해외 구입무기의 평가 등을 장기간 관장해온 예 비역 중장이다. 1976년에 조직된 한국핵개발 공단의 사명은 핵탄을 제도 하는데 있었다. 박정희를 설립자로 하고 핵관계 두뇌진들로 꾸려진 이 핵개발 공단의 업무는 핵폭탄 제조기술을 개발하는 것이었으며 그 연구 사업은 비밀관계상 공단의 직속상관에게도 보고되지 않고 한달에 한두번 씩 들리는 박대통령에게 직접 보고되었다. 핵개발 공단의 핵심적 인물들 은 벨기에의 비엔연구소에서 플루토늄 정량 분석법을 전공한 김강진과 프랑스의 그레노블 원자력연구소에서 재처리방법과 방사성 물질연구를 전

- 7 -

0008

공해온 박현수와 박헌회 였다. 이렇듯 한국의 핵기술 인력은 처음부터 핵무기 개발을 목적으로 모집 투입되고 활용되고 있는 핵무기 개발군단이다. 핵폭탄 1,500개분의 사용후 핵연료 비축, 지금 워싱톤과 청와대는 1987년말에 평화적 이용을 목적으로 완공한 5천키로왓트급의 소형 영변 원자로를 놓고 이북의 핵개발 위험성에 대해 요란스럽게 떠들어대고 있다. 그러나 한국 핵전문가들의 산출에 의하면 영변 원자로에서 나오는 사용후 핵연료로는 히로시마용 원폭 한개분의 해당하는 플루토늄을 확보하는데도 근 10년이 걸려야 한다고 한다. 그런데 이북에는 아직 재처리 시설도 없다. 사실이 이러함에도 이북이 핵무기를 제조할 수 있다는 한·미 양당국의 주장은 초보적인 상식에도 어긋나는 억지가 아닐 수 없다.

반면에 오늘 한국은 원자보만 하여도 고리 1,2,3,4호기, 월성 가압중수로, 울진 1,2호기, 영광 1,2호기 등 9기와 3개의 연구로가 현재 가동 중에 있으며 총 발전용량은 722만키로왓트에 달한다. 이 원자로들은 연간 480에서 540키로그람의 플루토늄을 함유한 사용후 핵연료를 토해낸다. 이 같은 고준위의 사용후 핵연료는 계속 축적되어 1990년 현재 1,140톤이나 수증 저장고에 보관되어 있으며 그것이 92년 현재에 이르러서는 더욱 늘어나 10톤의 플루토늄을 추출할 수 있는 엄청난 량에 이르고 있다. 이것은 20키로톤급의 나가사끼형 핵폭탄 1,500개를 제조할 수 있는 량이다. 문제는 바로 이같은 사용후 핵연료가 군사적 목적을 위한 재처리 움직임과 결합되고 있다는 그것이다. 세계가 그처럼 경악하는 핵폭탄이란

- 8 -

0009

다름아닌 오늘 한국 독재정권이 비축해 가고 있는 사용후 핵연료에서 플루토늄 239를 추출하여 일정한 폭파정치에 장전한 것이다. 전율할 핵무기 개발기지 대덕단지. 충청남도 대덕은 경북, 경남, 전남의 해안선을 따라 분포되어 있는 원자력 발전소들과 방위산업체들을 연결시키는 부채살의 원점에 자리잡고 있다. 대덕은 한국 원자력연구소와 국방과학연구소, 핵연료주식회사를 비롯해 핵무기 연구 개발기관들과 시설들이 집중적으로 배치되어 가동되고 있는 집약적인 핵무기 개발단지이다. 대덕 핵무기 개발단지에 있는 다목적 연구로 KMRR 의 진짜 목적은 군사용이다. 1987년에 착공하여 현재 가동단계에 들어선 대덕의 다목적 연구로는 캐나다 원자력공사팀과 공동개발로 총 800억원을 들여 건설한 3만키로왓트급의 핵무기 개발용 원자로로서 플루토늄 함유량이 높은 사용후 핵연료를 생산하고 있다. 이것은 천연 우라늄과 고농축 우라늄을 겸용할 수 있도록 설계된 것이며 이미 원자탄 개발에 이용된 바 있는 캐나다의 NRX 연구로 보다도 더 높은 고성능의 것이다. 대덕단지에 건설되어 작동하고 있는 조사후 시험시설은 이름만 바꾸어 놓은 하나의 준 재처리공장이다. 재처리에서 가장 중요한 기술공정은 방사능이 강한 사용후 핵연료를 차폐시설속에 집어넣고 원격조정으로 분반, 해체, 절단, 분석, 용해, 분리시키는 작업이다. 조사후 시험시설은 바로 이 체계를 다 갖추고 똑같은 원리로 작동되고 있다. 이미 1970년대말부터 시험 가동하기 시작하여 87년부터 본격적인 가동에 들어간 이 조사후 시험시설은 400 억원이 재투자되어 오늘에 와서는 대규모적인 시설로 확장되었다. 이들 다목적 연구로와 조사후 시험 시설은 밀착된 플루토늄 생산체계를 이루면서 그 위험성을 가일층 증대시키고 있다. 이의 대덕에는 1989년 9월 이미 핵연료

- 9 -

0010

가공공장에 들어 앉았을 뿐 아니라 또다시 인접군인 공주에는 1,112억원이 투자되는 29만 7천여평방미터 규모의 핵연료 생산공장이 96년까지 건설되게 된다. 그리하여 오늘 한국의 대덕은 일본의 핵개발단지인 투카쇼마라를 따라가는 핵무기 개발 연구단지로 변모되고 있다. 말그대로 대덕의 핵단지는 한국 핵무기 개발의 사령탑이며 중추적인 기지이다. 월간조선 1990년 4월호는 한반도의 핵게임이라는 글에서 한국의 핵무기 개발 가능성에 대하여 이렇게 지적하고 있다. 일단 명령만 내리면 이곳 저곳에 흩어져 있는 핵개발 관련 산업 및 기술과 인력과 시설은 단시간에 동원되고 조직될 것이다.

다목적 연구로는 개조되 플루토늄을 생성시킬 것이고 조사후 시험시설의 운영기술은 재처리 공장 건설운용으로 동원될 수 있으며 핵연료 설계와 원자로 설계기술은 원폭설계 및 제조에 응용될 것이다. 한국의 핵무기 개발 위험성은 그것이 당국자들의 정책의지로만 교체되고 있는 것이 아니라 이같은 현실적 가능성에 토대하여 추진되고 증득되는데 있다. 3. 핵무기 개발 실상과 그 엄증성. 한국에서 핵무기 제조는 그의 잠재적 위험성으로만 존재하고 있는 것이 아니라 그것이 직접 실천적으로 이행되고 있다는데 그 엄증성이 있다. 핵무기 개발 체계는 우라늄 농축과 플루토늄 추출 공정 그리고 핵탄의 설계, 제조, 시험, 공정 및 핵은반수단의 개발공정으로 연결된 종합체계이다. 가시화된 핵폭약 제조, 핵무기 개발에서 우라늄의 농축과 플루토늄의 추출공정은 핵폭약을 생산하기 위한 증핵적인 기본 공정이다. 우라늄 광석을 정면 변환, 농축 재변환하고 성형가공하여 연소시킨뒤 사용후 핵연료를 재처리하는 핵연료 주기 가운데서 핵무기 개발과 직결되는 민감부분은 농축과 재처리 공정

- 10 -

이다. 한국당국자들의 핵개발 연구는 농축과 재처리의 두공정에 집중되고 있다. 고농축 우라늄을 얻어내기 위한 한국 당국자들의 책동은 다각적으로 추진되어 매우 엄중한 단계에 들어서고 있다. 천연 우라늄 235의 농도를 0.7% 에서 3내지 4% 로 저농축하면 발전용 연료가 되고 80 내지 90% 이상 고농축하면 우라늄 핵폭탄의 폭약이 된다. 한국 당국자들은 이것을 얻기 위해 핵연료의 국산화라는 허울좋은 간판밑에 농축에 필요되는 보조적 설비와 기술들을 개발해 냈을 뿐아니라 이미 오래전부터 레이저 농축법과 원심분리법에 집중투자하여 핵심기술 개발에 몰두해왔다. 그들은 레이저로 핵폭탄 제조용 고농축 우라늄을 추출할 목적밑에 1984 년부터 기초연구를 본격적으로 추진시켜 88 년에는 레이저를 이용한 원자분강 기술을 개발하였으며 오늘에 와서는 레이저의 고능력화, 고반복율화, 고분해 능율화를 위한 각종 장비연구에 집중하면서 이미 상업용 공장건설 단계에 들어선 러시아와 레이저 농축법의 공동개발을 추진, 한국잡지 월간조선 1991 년 10 월호, 러시아와 레이저 농축법의 공동개발을 추진하고 있다 뿐만아니라 한국의 핵무기 개발팀들은 핵폭약인 고농축 우라늄을 분리해 낼 수 있는 분당 6만 회전의 원심분리기까지 만들어 냈다. 현실은 군사적 목적에 고농축 우라늄을 얻기 위한 한국당국자들의 책동이 이미 기술개발의 단계를 벗어나 생산단계에로 진입하였다는 것을 보여준다. 한국은 이미 플루토늄 추출의 완성된 체계를 구비하고 그것을 가동시키고 있다. 지금 원폭용 플루토늄 239가 월성에 켄드형 증수로와 대덕에 다목적 연구로를 비롯한 원자로들에서 생성되고 대덕에 조사후 시험시설에서 추출되고 있다. 한국 당국자들은 감시카메라의 시야를 차단하는 것과 같은 각종 비법행위들을 감행하면서 이미 적지않은 량의 플루토늄을 뽑아

- 11 -

0012

났다. 한국의 핵광신자들은 이에 그치지 않고 플루토늄을 다량 추출하기 위해 산업화된 재처리 공장을 갖추어 놓으려고 동분서주하고 있다. 그들은 이미 70년대초에 프랑스와의 재처리 공동설계 작업과정을 통해 재처리 공장 건설과 관련한 기술자료들을 모두 손에 넣었으며 일시 중단되었던 이 재처리 공장 건설을 최근에 와서 일부 핵보유국들과의 공동개발로 더욱 대대적인 범위에서 추진하려는 움직임을 노골적으로 보이고 있다.

한국 에너지회사 관계자는 1989년 10월 국제원자력기구 회의에서 가압경수용 원자로에 장입하기 위한 플루토늄을 추출한다는 위장명분을 내세우면서 사용후 핵연료에 대한 재처리 의도를 분명히 했다. 그는 여기에서 플루토늄을 얻기 위한 재처리 시설을 지금부터 적극 개발하여 곧 시험생산에 들어가며 2007년부터 2016년 사이에 완전히 상업화 할 것이라고 명백히 지적하였다. 한국 당국자들은 핵폭탄용 고농축 우라늄과 플루토늄을 자체로 생산할 뿐 아니라 그것을 제 3국으로부터 밀수입하고 있다. 이미 이탈리아와 스위스에서 압수된 플루토늄과 농축 우라늄이 구소련제인것으로 인정되어 물의를 일으켰던 그 핵폭약 물질이 한국에도 밀반입 되었다는 것이 확인되고 있다. 현재 한국은 알려진 것만해도 히로시마용 원폭 3내지 5개를 제조할 수 있는 30내지 40키로그람의 고농축 우라늄과 플루토늄을 보유하고 있다. 러시아 당국은 전술핵무기 해체에서 나오는 100튼의 플루토늄과 500튼의 농축 우라늄을 사갈 것을 세계 각국에 호소하였다. 이것은 핵폭탄용 핵물질을 찾아 몸부림치던 한국 당국자들에게 강한 알레르기성 반응을 일으키게 하였다. 중앙일보 1991년 11월 10일자는 이러한 사실을 놓고 러시아의 기업가들이 자유시장을 발견한

- 12 -

0013

곳이 있다. 그것은 핵무기 시장이다. 경색형 원자로나 농축우라늄, 핵무기 생산에 관련된 물질들을 구입하기 가장 좋은 곳은 모스크바이다 라고 보도하였다. 최근 외신 보도에 의하면 고농축 우라늄과 플루토늄 매매문 제를 놓고 한국과 러시아간에는 고농축 우라늄 한그람당 12만 달라에 거래되는 등 열기띤 교섭과 심상치 않은 움직임이 벌어지고 있다. 이것 은 한반도의 비핵화 실현에 어두운 그림자를 던지고 있다. 현실화된 핵탄개발. 한국에서는 핵폭약이 대거 확보되고 있을 뿐 아니라 핵탄개 발이 급속도로 추진되고 있다. 80년대에 본격적으로 추진된 원자로 설계 기술의 국산화 작업의 내막은 외국으로부터 원자탄 설계기술을 얻기 위 한 기술전수작전이었다. 한국의 원자력연구소는 이미 핵개발 기술전수를 겨냥하여 영광 3,4호기의 원자로 설계를 미국의 CE 사와 공동으로 추진해 왔으며 설계된 부분은 창원의 한국중공업으로 넘겨져 동시 제작되었다. 금년까지 완성되는 이 공동설계작업을 통해 한국의 원자력연구소는 4,30 0여점의 설계도면과 특허자료들, 200 여점의 극비 전산프로그램과 컴퓨터 코드를 입수하게 됨으로써 핵폭탄 제조에 필요한 핵심 기술들을 이전받 을 수 있게 되었다. 한국의 핵무기 개발팀은 내폭실험에서 폭발시점을 맞추는데 요구되는 100만분의 1초까지 찍을 수 있는 고속촬영기를 제 3국 을 통해 도입하고 특수기폭제 HMX를 자체로 개발하여 내폭실험에 힘을 집중하고 있다. 이 외에 핵탄 제조와 관련되는 여타 부수적인 기술문제 들은 서울공대를 비롯한 각 대학들에 의뢰하는 연구과제를 통해 확보되 고 있다. 한국 당국은 이같은 연구의 보안유지를 위해 대학구역 곳곳에 통제구역을 설정하고 엄밀히 감시 차단하고 있다. 그리고 핵탄제조에 필 요되는 각종 부품들은 한국중공업을 비롯한 각 방위산업체들과 민간업체

- 13 -

0014

북한 핵 문제 총괄 4

들에서 일반부품으로 위장되어 분산 제작되고 있다. 한국의 핵탄개발이 엄격한 보안유지와 위장연구, 분산제작속에서 극비리에 추진되고 있으나 그것은 공정의 환절과 요소요소마다 표출되는 개개의 움직임들에서 그 마각이 들러나고 있다. 실전화된 핵운반 수단 생산. 한국에서 핵운반 수단은 다양한 개발단계에 들어섰다. 한국은 이미 1978년에 사정거리 150키로미터의 유도탄을 개발한데 이어 80년대에는 사정거리 180키로미터, 240 키로미터의 유도탄을 개발하고 중장거리 미사일 개발에 박차를 가하고 있다. 또한 한국군은 이미 핵폭탄을 적재할 수 있는 F-15 전투폭격기, F-16전투기를 다수 보유하고 있으며 핵포탄을 발사할 수 있는 155밀리 곡사포와 8인치포, 핵탄두를 부착할 수 있는 어네스트존을 비롯한 미사일들을 배비하고 있다. 핵탄두를 임의의 지점까지 운반 투척할 수 있는 핵운반체계가 구색을 갖추어 완비되고 있으며 그것은 정기적인 핵투발 훈련을 통해 상시적으로 작동하고 있다. 한국의 핵무장화는 내일의 가능성이 아니라 오늘의 현실성으로 부각되고 있다. 미 육군 국방대학의 전략문제연구소는 서기 2110년의 세계라는 연구 보고에서 한국을 2110년까지 핵무기 500기의 보유 가능그룹으로 분류한 바 있다. 이북에 대한 핵사찰 소등의 막후에서 급속도로 추진되고 있는 한국 핵무장화의 현실적인 위험성에 대해서 세계는 방관할 수 없다. 1,700 여개의 미국 핵무기가 배비되어 있는 핵화약고인 한국은 오늘 미국과 이해를 같이하는 식민지 대리 정권의 반평화적 핵무기 개발정책으로 인하여 더욱 무시무시한 핵공포지대로 화하고 있다. 우리는 미국의 핵우산 밑에서 핵버섯이 돋아나는 것을 구경만 하고 있을 수 없다. 비핵화된 평화롭고 통일된 삼천리 강토에서 살기를 바라는 우리 민중은 미제의 핵무기와 핵

- 14 -

0015

기지를 철폐하기 위한 투쟁과 함께 서울 파쇼당국의 핵무기 개발 흉계를 좌절시키기 위한 반핵운동에 한사람같이 분기하여야 한다. 우리 한민전은 평화를 사랑하는 세계의 양심들이 한국의 핵무장화에 경각심을 높이고 이를 저지 파탄시키기 위한 투쟁에 우리 국민과 더불어 보조를 같이해주기를 기대한다. 1992년 11월16일 한국민족민주전선 중앙위원회 서울.

- 15 -

0016

남북관계 현안에 대한 정부입장

(92.12.2. 통일관계장관회의 발표)

1. 남북간 합의사항 이행·준수 문제

   남북간 합의사항을 성실히 이행·준수하는 것은 남북간의 정치·군사적 대결 상태를 해소하고 교류·협력을 촉진하여 남북관계를 불신과 대결에서 화해와 협력의 관계로 전환시키는 기본요건이 될 것이다.

   특히 남북간 회담은 현안문제를 평화적이고 자주적으로 해결하기 위한 수단으로서, 합의된 회담일정은 아무런 조건없이 지켜져야 한다.

2. 이산가족 문제

   이산가족 문제는 인도주의적 견지에서 무조건 우선적으로 해결되어야 한다. 이산가족 문제의 해결이 남북관계의 실질적 진전을 촉진시키게 될 것이다.

3. 핵문제의 해결

   "한반도의 비핵화에 관한 공동선언"에 따라 남북 상호사찰은 반드시 실시 되어야 하며 이를 위한 신뢰성이 있고 효과적인 핵사찰 규정이 조속히 마련되어야 한다.

   북한은 IAEA 국제사찰 뿐만 아니라 남북 상호사찰도 수용하여 핵무기 개발에 대한 국제사회의 우려를 조속히 불식시켜야 한다.

0017

4. 팀스피리트 훈련 실시 문제

남북간의 사찰규정에 합의가 이루어져 상호 핵사찰이 실시된다면 '93년도 팀스피리트 훈련 중지 문제가 검토될 것이나 북한이 핵문제 해결에 성의를 보이지 않을 경우에는 전쟁방지를 위한 방어용 군사훈련은 계속 될 것이다.

'93년도 T/S 훈련을 실시할 경우에 이의 참관을 위해 중립국 감독위원회 위원들과 이 훈련에 관심을 가지고 있는 모든 국가들과 함께 북한도 초청될 것이다.

5. 남북경협 문제

핵문제 해결에 의미있는 진전이 있을 경우에 남북경제협력 준비단계에서 경제협력사업 실시단계로 전환될 것이다.

0018

공   란

공   란

공   란

공   란

北 寧邊에 새核시설공사

美첩보위성 확인…IAEA사찰때 공개안해

【서울·워싱턴 AP=연합】
西方정보소식통 밝혀

북한은 최대 核단지가 있는 寧邊부근에 핵시설로 보이는 새로운 건물을 짓고 있으나 이를 숨기고 있으며 지난날 국제원자력기구(IAEA)사찰팀도 공사현장을 공개하지 않았다고 韓國과 서방 정보소식통들이 1일 밝혔다.

이들 소식통은 美 첩보위성사진으로 이 신축건물의 존재가 선명히 확인됐다고 말했다.

소식통들은 문제의 건물이 寧邊으로 가는 간선도로와 연결된 작은 도로가 나있다고 말했다.

한국의 한 소식통은 신축건물이 돔 모양의 구조를 하고 있다고 전하면서 이 건물의 역할은 원료인 탄알등을 쓰고하는 신형 원자로가 설치될 가능성이 크다고 말했다.

북한,寧邊핵단지 부근에 신축 核시설 은닉

美첩보위성 확인...IAEA 사찰때도 몰라

핵무기원료인 플루토늄생산시설 가능성높아

　　(서울 AP=聯合) 북한은 최대 核단지가 있는 寧邊 부근에 핵시설로 보이는 새로운 건물을 짓고있으나 이를 숨기고 있으며 지난달 국제원자력기구(IAEA) 사찰때도 공사현장을 공개하지 않았다고 한국과 서방 정보소식통들이 1일 밝혔다.

　　북한이 핵무기 개발계획을 숨기고 있다는 주장을 부인하고 있는 가운데 극히 믿을만한 이들 소식통은 미국 첩보위성의 사진으로 이 신축건물의 존재가 선명히 확인됐다고 말했다.

　　소식통들은 문제의 건물 신축공사가 IAEA 사찰단이 북한을 방문한 지난 11월부터 시작됐으나 사찰단원들은 이 사실을 몰랐고 북한측도 공사현장을 공개하지 않았다고 말했다.

　　이들 정보소식통은 문제의 건물이 다른 핵시설이 있는 곳으로 의심되는 지역 부근에 세워지고 있다는 점과 북한이 이를 비밀에 부치고 있다는 점을 특히 우려했다.

　　워싱턴에 있는 전략국제문제연구소의 군축.검증전문가인 피터 짐머만 박사는 "만일 북한이 기술적인 측면에서 寧邊과 기술적으로 가까운 곳에 이같은 건물 신축공사를 계속하면서 이를 숨겼다면 크게 우려해야 할 것"이라고 말했다.

　　소식통들은 첩보위성 사진에 따르면 문제의 신축공사 현장에는 영변으로 가는 간선도로와 연결된 작은 도로가 나있다고 말했다.

　　한국의 한 소식통은 신축건물이 돔 모양의 구조를 하고있다고 전하면서 이 건물의 내부는 핵무기의 원료인 플루토늄을 생산하는 신형 원자로가 놓일 가능성이 크다고 말했다.

　　빈의 데이비드 카이드 IAEA 대변인은 북한의 이 신축건물에 대해서는 전혀 아는 바가 없다면서 한국이 3일부터 열리는 IAEA이사회에서 이 문제를 거론할 지도 모른다고 말했다.

　　카이드 대변인은 북한측 대표가 지난 30일 IAEA 본부를 방문했을 때도 이 신축건물에 대해서는 언급하지 않았다고 말했다.

　　IAEA는 금년에 북한에 대한 核사찰을 모두 4차례 실시했으나 북한이 핵을 평화적인 목적에 이용하고 있는지 여부를 판가름하게 될 현장채취 샘플 등의 분석작업은 아직 끝내지 못했다.(끝)

0024

北韓 寧邊에 새 核시설 건

AP보도 美첩보위성 확인… 사찰땐 몰라

[서울AP연합=특약] 북한이 영 변핵발전소 단지 안에 새 핵발전소를 이미 건설 해놓고도 이를 은닉하고 있 다고 AP통신이 1일 한국 정부당국자와 서방소식통을 인용, 서울발로 보도했다.

AP통신은 미국의 한 위성방소식통과 한국당 국자의 말을 빌어 북한이 서방으로 보낸 핵발전소 건설사진에는 있어진 영변 핵처리 새발전소는 핵발전소 단지에서 선명하게 보이지 않았다고 말했다.

국제원자력기구(IAEA) 핵사찰단의 지난달 북한에 대한 핵사찰 때도 이 사찰단은 이 시설을 알지 못했으 며 북한이 이 시설에서 한 핵시설이 과연 건설됐나 답변

...시설지역특과 인접해 있다. 북한당국이 이 발전소의 전체 규모와 목적 에 대해서는 언급하기를 꺼려했다.

이 소식통은 그러나 위성 사진 판독결과 영변으로 향 했던 도로가 새 핵발 전소의 간선도로에서 새 핵발 전소로 들어가는 도로가 차 단돼 왔으며 핵발전소를 은 닉하기 위해 도로가 끊겨지는 지점에 나무를 심어놓았음 이 드러났다고 말했다.

12.2(수) 한겨레 2면

0025

W1106------
u IBX   W0065 |01-1 ⊃577
233 87
^^BC-South Korea-Nuclear,0569<
^Satellite Photos Show New Construction at North Korean Nuclear
Complex<
^By KELLY SMITH TUNNEY=
^Associated Press Writers=

SEOUL, South Korea (AP) _ Intelligence officials say they have
evidence North Korea has built and attempted to camouflage new
construction near its largest nuclear complex.

North Korea has repeatedly denied claims it is hiding a nuclear
weapons program.

Highly reliable Western and South Korean sources told The
Associated Press that photographs by U.S. satellites clearly show
recent construction in an area near Yongbyon, 98 kilometers (60
miles) northwest of the capital, Pyongyang.

The new construction had begun when International Atomic Energy
Agency inspectors arrived in November, but the inspectors were not
aware of it and were not shown the site, the sources said.

North Korea, Communist and highly secretive, allowed some
inspections this year of nuclear facilities it claims are for
peaceful purposes.

The sources were particularly concerned by the the proximity of
the construction to other suspicious nuclear sites and that North
Korea has kept the construction secret.

''If the North Koreans are continuing to build facilities which
look to be of a technical nature adjacent to Yongbyon, and if they
have not shown or declared them, we should be deeply concerned,''
said Dr. Peter D. Zimmerman, a specialist in arms control and
verification at the Center for Strategic and International Studies
in Washington.

The sources, who spoke on condition of anonymity, declined to
discuss the full scope of the construction revealed by the photos or
to speculate on its purpose.

They did, however, say the photos show that a tributary road
which led into the new site from a main road into Yongbyon has been
blocked and trees have been planted at the turnoff to purposely
obscure it.

The United States, Japan, China, Russia, and South Korea long
have expressed concern that a nuclear-armed North Korea could upset
the military balance in Northeast Asia.

Concern over nuclear issues has delayed rapproachment between
the Koreas and kept the West and Japan from improving ties with and
giving economic aid to North Korea.

One South Korean source said a dome-shaped structure at the site
was of particular concern because of suspicion it could house a new
reactor to produce plutonium, one of the materials used for atomic
bombs.

The Yongbyon complex is said to comprise more than 100
buildings, including a large laboratory which Western analysts
believe is geared to make weapons-grade plutonium.

In a related development, the sources said the North Koreans
refused last month to permit the IAEA to take samples from the core
of one of two reactors at Yongbyon for laboratory analysis.

Samples to measure the level of chemicals and radioactivity
could indicate whether North Koreans have used the original fuel
rods in the manner claimed and whether a significant quantity of
plutonium has been extracted.

The North Koreans told IAEA inspectors that safety devices were
not working and it was unsafe to inspect the reactor, said a source.

Results from four IAEA inspections this year are incomplete.

''To demonstrate that North Korea no longer has a nuclear
weapons program will be every bit as difficult as demonstrating that
Iraq no longer has a nuclear weapons program, without the advantage
that Iraq lost the Gulf War and is under U.N. sanctions,'' Zimmerman
said in a telephone interview.   ''7   0026

분류번호	보존기간

발 신 전 보

번 호 : WUS-5382   921203 1102 WG 종별 :

수 신 : 주 수신처 참조   대사. 총영자   WJA-5094 WAV-1795
                                        WUN-3471
발 신 : 장 관 (미이)

제 목 : 북한 핵시설 관련 보도

1. 금 12. 2.자 국내 언론은 서울발 AP 연합 보도(12. 1.자)를 인용, 북한은

   영변 핵발전소단지 인근에 핵시설로 보이는 새로운 건물을 짓고 있으나

   이를 은닉하고 있으며 지난달 IAEA 사찰때도 동 공사 현장을 공개하지

   않았다는 내용의 요지 보도함.

2. 본부로서는 여사한 보도가 북한 핵문제 해결에 미칠 수 있는 부정적 영향등을

   감안, 상기 언론 보도 경위를 알아보고 있으나 동 AP 연합 기사 내용이

   정보 소식통을 인용하고 있으며 또한 동 기사 내용 자체도 상당 부분

   부정확한 내용을 포함하고 있어 경위 확인등이 어려울 것으로 사료

   됨. 참고 바람. 끝.

3.해외언론으로 부터 상기보도에 관한 문의가 있기, 본부는 동보사항이 아니라는 논평한수없다
하고 북간비 핵 개발 의혹이 관하여 강력 역설이 있으므로 조속기 상로사찰이 신시되어 이러는
북한의 핵의혹이라는 진상규명이 있기야 한걸 일도 강조하기라 필요도 있으니바는. (미주국장 정태익)

수신처 : 주미, 일, 오지리, 유엔대사

예 고 : 1993. 12. 31.에 일반에
       ~~~~~~~~~~~~~~~~~ 함   오인   검토필 (1993. 6. 30.) 인

	보 안 통 제	

앙 고 재	단 발 일 북미2과	기안자 성명		과 장	신○○	국 장		차 관	장 관		외신과통제

0027

공　　　란

공   란

北, 언제까지 「核장난」할것인가

北韓의 核의혹과 관련된 내외의 움직임이 다시 활발해지고 있다. 탈출구가 열릴것인가 아니면 새로운 긴장의 불씨가 될것인가. 오랜 교착과 小康의 끝이라 더욱 주목된다. 우리는 그것이 北韓의 核의혹제거를 향한 노력의 조짐들이기를 바란다.

오스트리아 빈에선 국제원자력기구(IAEA)의 北韓핵사찰결과 검토를 위한 이사회가 3일 시작되었다. 北韓원자력부장이 블릭스 IAEA 사무총장을 두차례나 만난 것으로 보도되었다. 한국에 대해선 核통제위 전체회의개최를 제의했으며 11일엔 최고인민회의가 소집된다. 우리 정부는 통일관계장관회의를 통해 核문제의 의미있는 진전이 있을경우 준비단계의 對北經協을 실시단계로 전환한다는 등의 협력자세를 보였다. 그리고 北韓의 은닉된 핵시설물이 寧邊근방서 새로 발견되었다는 美첩보위성사진이 공개되기도했다.

南北韓관계와 北韓의 對美日관계를 가로막고있는 北韓핵문제는 核의혹의 확실한 해소를 보장할 南北韓 相互사찰을 北韓이 거부하고 있는데서 비롯되고 있다. 北韓이 南北韓관계냉각의 구실로 내세우고있는 팀스피리트훈련 재개준비도 결국 北韓이 남북핵상호사찰을 거부하고 있기 때문이다. 北韓이 상호사찰을 수락하는등 核의혹해소의 실질적 진전이 이루어진다면 對北경협 본격화는 물론 팀 스피리트 준비의중단도 즉각 이루어질 것이 틀림없다.

팀 스피리트의 중단은 처음부터 北韓의 對韓 화해협력을 전제로 한 것이었다. 핵사찰거부 등 北韓의 眞意를 믿을 수 없게 되어도 중단한다는 약속은 아니었다. 北韓의 상호사찰수용 등 성의있는 호응이 없는 이상 그 再開는 너무도 당연한 순서라 생각한다. 팀 스피리트 재개준비를 오히려 핵상호사찰 거부구실의 逆선전수단으로 삼는것은 지나친 적반하장이요, 본말의 전도라 하지않을 수 없다. 팀스피리트가 싫으면 상호사찰을 수용하면 되는 것이다.

北韓은 국제환경의 변화를 하루빨리 직시해야 할것이다. 北韓의 核보유는 절대로 불가능하다. 우선 러시아와 중국이 반대하고 있지 않는가. 對北핵지원 중단을 발표한 바있는 러시아는 北韓의 對南도발억제노력을 다짐하는 외교독트린까지 마련한 것으로 보도되었다. 미국에선 北의 핵문제에대해 부시보다 더 엄격한 민주당의 클린턴정부가 탄생한다. IAEA도 4차례의 사찰결과에 불만이며 앞으로 원하는 시설에대한 사찰을 北韓이 의도적으로 기피할 경우 강제사찰을 실시하는 문제도 검토하고 있는 것으로 보도되고 있다.

우리는 北韓의 국제고립과 枯死를 원치않는다. IAEA의 강제사찰을 받게되는 긴장사태도 바라지 않는다. 역사와 대세를 거역한다면 남는 것은 비극뿐일 것이다. 조속한 南北核 상호사찰수용의 活路모색을 권하고싶다. 韓美의 선거도 이젠 끝났고 끝나가고있다. 더 기다릴 상황도 없다. 北韓의 대응을 주목한다.

0030

미국 "Foreign Affairs"지의 한국통일관련 기고문

1992. 12. 4(목)

외 무 부

> 미 외교정책전문지 'Foreign Affairs' 겨울호는 '남북한 통일은 가능한가' 제하의 에버스타트 박사 (하바드 대학 객원 연구원)의 기고 논문을 게재하였는 바, 동 논문의 주요내용을 아래 보고드립니다.

1. 주요 내용

o 탈냉전시대에 유일하게 분단상태로 남아있는 한반도는 통일의 중대한 전기를 맞고 있음에도 불구하고, 미국 정부는 전략적으로 중요한 한반도 사태에 충분한 관심 을 기울이지 않고 있음.

- 미국은 한국의 통일과 남북간 화해에 적극적으로 기여할 준비를 갖출 필요가 있음.

o 김일성 사후의 북한체제는 체제유지 능력이 결여되고, 북한체제의 안정성을 보장해 줄 외부요소도 부재

- 지정학상 한반도에 위기발생시 중국, 러시아, 일본의 개입이 예상되며 상황은 더욱 복잡해질 것으로 전망

- 미국의 동북아지역에서의 최대 안보과제는 한반도에서의 전쟁재발을 방지하는 것임

0031

o 북한은 남한과의 경쟁에서 우위 확보를 위해 핵무기
　개발을 포기하지 않을 것으로 예상됨

- 이미 북한은 핵카드를 사용하여 남한에서 핵무기 철수,
　'92 T/S 훈련 중단, 일본 및 미국과의 고위급 접촉 실현
　등 큰 성과를 달성한 경험이 있어, 핵무기 개발을 계속
　할 것으로 전망됨

- 김일성의 통치에 종말이 다가옴과 함께 한반도에서의 무력 비무장지대에서의
　충돌위험이 커지고 있는 상황에서 주한미군을 추가 감축
　하는 것은 적절치 못함.

o 한국민의 통일에 대한 열망에도 불구하고, 독일통일에 비할
　때 한국통일은 용이한 과제가 아님.

- 한국은 서독에 비해 경제력이 부족하며, 남북한간에는
　동, 서독과 달리 거의 접촉, 교류가 없으며, 동독은 소련의
　위성국이었으나 북한은 독자노선을 유지해 온 점을 고려할
　때 남북한 통일은 더 어려운 문제임

o 통일한국의 관건의 핵심은 법의지배(rule of law) 확립에 있음.

2. 평 가

o 본 기고문은 한반도의 전쟁위험성, 북한의 핵개발 불포기
　예상등 전반적으로 매우 보수적인 시각을 보이고 있으나,
　저명한 외교정책 전문지에 한국문제가 기고됨으로써 한국의
　안보상황과 미국의 계속적인 안보공약 유지 필요성을 환기
　시키는데 기여한 것으로 평가됨

0032

美國 "Foreign Affairs"誌의 韓國統一關聯 寄稿文

1992. 12. 4 (金)

外 務 部

> 美 外交政策專門誌 'Foreign Affairs' 겨울號는 '南北韓 統一은 可能한가' 題下의 에버스타트 博士 (하바드 大學 客員 研究員)의 기고 論文을 게재하였는 바, 同 論文의 主要内容을 아래 보고드립니다.

1. 主要 内容

o 脫冷戰時代에 유일하게 分斷狀態로 남아있는 韓半島는 統一의 중대한 轉機를 맞고 있으나, 美國政府는 戰略的 으로 重要한 韓半島 問題에 충분한 關心을 기울이지 않고 있음.

 - 美國은 韓國의 統一과 南北間 和解에 積極的으로 寄與할 준비를 갖출 필요가 있음.

o 金日成 死後의 北韓體制는 體制維持 能力이 결여되고, 北韓 體制의 安定性을 保障해 줄 外部要素도 不在함.

 - 地政學上 한반도에 危機發生時 中國, 러시아, 日本의 介入 이 豫想되며 狀況은 더욱 복잡해질 것으로 展望됨.

 - 美國의 東北亞地域에서의 最大 安保課題는 韓半島에서의 戰爭再發을 防止하는 것임.

- 1 -

0033

- 韓半島에서의 武力 衝突危險이 커지고 있는 狀況에서 駐韓
  美軍을 追加 減縮하는 것은 적절치 못함.

o 北韓은 南韓과의 競爭에서 優位 確保를 위해 核武器 開發을
  抛棄하지 않을 것으로 예상됨.

- 이미 북한은 核카드를 사용하여 南韓에서 核武器 撤收,
  '92 T/S 訓鍊 中斷, 日本 및 美國과의 高位級 接觸 實現
  등 큰 成果를 달성한 經驗이 있어, 核武器 開發을 계속
  할 것으로 전망됨.

o 한국민의 統一에 대한 熱望에도 不拘하고, 獨逸統一에 비해
  韓國統一은 容易한 課題가 아님.

- 韓國은 西獨에 비해 經濟力이 不足하며, 南北韓間에는
  東.西獨과 달리 거의 接觸, 交流가 없으며, 東獨은 蘇聯의
  위성국이었으나 北韓은 獨自路線을 유지해 온 점을 考慮할
  때 南北韓 統一은 더 어려운 문제임.

2. 評 價

o 本 寄稿文은 韓半島의 戰爭危險性, 北韓의 核開發 不抛棄
  豫想等 全般的으로 매우 保守的인 視角을 보이고 있으나,
  저명한 外交政策 專門誌에 韓國問題가 寄稿됨으로써 韓國의
  安保狀況과 美國의 繼續的인 安保公約 維持 必要性을 喚起
  시키는데 寄與한 것으로 評價됨.   끝.

- 2 -

0034

USR(F) : 7619   년월일 : 92. 11. 30 시간 : 19:35

수 신 : 장 관 (미일)

발 신 : 주미대사

제 목 : Foreign Affairs지 한국관계 기고문   (출처 :   )

보통 : 안제   13

처	장관실	차관실	一차보	二차보	외경실	분석관	아주국	미주국	구주국	중아국	국기국	경제국	통상국	문렵국	외연권	청와대	안기부	공보처	경기원	상공부	재무부	동자부	농수부	환경처	과기처
								○																	

(7619 - 17 - 1)

외신 1과 통제

CAN THE TWO KOREAS BE ONE?

Nicholas Eberstadt

Perilous Road to Reunification

TO SAY THE COLD WAR is over is to ignore a potentially dangerous reality: the final chapter is still being played out on the divided, heavily armed Korean peninsula. Korea, one of the true flashpoints of the post-Cold War world, is approaching a momentous juncture—one comparable to the partition of 1945 or the terrible war of 1950–53. For Korea is now heading toward reunification. The question is no longer whether the peninsula will be reunited, but when?

Plausible arguments support the proposition that a peaceful denouement to the division of Korea is within reach in the coming decade. (Among others, the presidents of both North and South Korea officially subscribe to that view.) But, equally, there are grounds for concern about violent eruptions on the path to unification, and reasons to expect full integration to be longer, not shorter, in the making. Though the ultimate outcome may be the same, Korea is unlikely to enjoy a replay of the happy, almost simple drama so recently witnessed in Germany.

Several factors promise to make the road to Korean reunification far more complex and protracted than that of West Germany swallowing up East Germany: the degree of military mobilization on both sides of the border; the question of North Korea's indigenous nuclear weapons capability; the disinclination (and inability) of China—North Korea's remaining patron—to cut a deal for reunification (in contrast to the multibillion-dollar agreement struck between Bonn and Moscow under Soviet leader Mikhail Gorbachev). That said, however, official Washington is not paying adequate attention to developments in this sensitive, strategically important region and is

Nicholas Eberstadt is a Visiting Fellow at the Harvard University Center for Population and Development Studies and a Visiting Scholar at the American Enterprise Institute.

1619-17-2

0036

)BNAME: foreign affairs 9704 PAGE: 2 SESS: 4 OUTPUT: Fri Oct 23 12:57:01 1992
s1/303/team3/forelgnaff/9704/ebe

2 FOREIGN AFFAIRS

ill-prepared to foster an acceleration of the reunification process.

At the end of World War II, when the United States and the Soviet Union drew the fateful line dividing the country—a line intended merely to delineate temporary administrative zones for processing the surrender of Japanese forces—the Korean peninsula was so remote that officials at the State Department could hardly locate it on the map. Today the Republic of Korea is America's sixth largest trading partner (ranking above France, Italy and all of Scandinavia), and the United States itself has over 35,000 troops stationed on South Korean soil. Almost a million American citizens are of Korean heritage. Yet America's grasp of Korean affairs continues to be woefully inadequate.

> *"Nearly all of the great events that have defined Korea since the peninsula's partition have caught policymakers unprepared."*

Proof of this assertion is America's record of postwar policy. Nearly all of the great events that have defined Korea since the peninsula's partition have caught policymakers unprepared. America was surprised by North Korea's sudden attack against and near conquest of South Korea in 1950; amazed in the 1960s when an impoverished aid-dependent South Korea embraced export-oriented economic growth; shocked in 1979–80 when South Korea's authoritarian but seemingly stable government was convulsed by assassination, "constitutional coup" and provincial uprising (suppressed by the army at a heavy toll of civilian casualties).

America has also been surprised unpleasantly, but repeatedly, over the past two decades by the scope of North Korea's ongoing military buildup. Only now has Washington belatedly realized that this country of barely 20 million may have more than 1.2 million men under arms (with many of its troops and much of its matériel forward-deployed) and a nuclear program capable of producing atomic weapons within perhaps a year or two.

If the United States is to avoid such further costly surprises it must prepare for Korea's impending challenge. In this last bastion of the Cold War the circumstances of the reunion are impossible to foretell: they could be filled with joy and jubilation or, just as easily, with tragedy and suffering. The United

1619- 17-3

OBNAME: foreign affairs 9704 PAGE: 3 SESS: 4 OUTPUT: Fri Oct 28 12:57:01 1992
os1/309/team3/foreignaff/9704/cbc

KOREA   3

States must be ready to contribute actively to a free and
peaceful reunification in Korea and a successful reconciliation
of Koreans, or to suffer the regional and possibly global
repercussions that failure in this effort would portend.

From Father to Son: A Bleak Future

FOR A COUNTRY about which so little information is
available the international picture of North Korea is
remarkably clear. It is seen as an extraordinarily regimented
society. It has fashioned a suffocating cult of personality
promoting the "Great Leader" Generalissimo Kim Il Sung,
and now his son, "Dear Leader" Kim Chong Il, who is
designated heir apparent to Pyongyang's communist throne. It
extols an official ideology known as *chuche*, a doctrine with a
crude racialism and a heavy emphasis on the national destiny
of the Korean people. The regime and its agents, finally, are
today perhaps best known internationally for their alleged
complicity in incidents of terrorism, drug-smuggling and
other unsavory activities.

Because North Korea presents such an unattractive face to
the outside world, it has often been misjudged. Of all Asia's
communist states (including the U.S.S.R.), only North Korea
avoided famine in the course of its collectivization of agricul-
ture. For decades North Korea's industry apparently outper-
formed South Korea's. North Korea's foreign policy skillfully
played its communist neighbors—China and the Soviet
Union—against one another for more than a generation,
extracting aid from both while deferring to neither. Finally,
Kim Il Sung's talents may be inferred from his political
longevity. He has held supreme power in North Korea for
more than forty years; no other world leader has enjoyed such
a tenure.

For all these indications of past success North Korea's future
is bleak. Its strategy for development—and for competing
against the South—have led to a dead end.

At one point in the 1970s North Korea's quest for interna-
tional legitimacy looked promising. But North Korea has lost
that diplomatic competition, and lost it badly. The very fact of
the 1988 Olympics in Seoul, and the broad international
participation in those games, underscored North Korea's
growing international isolation. Even North Korea's Septem-
ber 1991 entry into the United Nations is a sign of failure, not

1619— 17-4

0038

4 FOREIGN AFFAIRS

a mark of success: North Korea only applied for membership after learning that China, perhaps its most reliable ally, would no longer veto South Korea's pending bid. (In the intervening months Beijing has normalized its relations with the government in Seoul.)

Pyongyang's international fortunes have been set back still further by the disappearance of the Warsaw Pact states, and the simultaneous emergence of its most feared and hated enemy, the United States, as the world's single and unrivaled superpower.

North Korea's economic prospects are scarcely better. Rapid as its growth may have been in earlier years, opportunities for material advance are now exhausted. The "extensive" approach to economic growth has reached its limits. The adult population has been fully mobilized; there is no more "surplus" labor to direct toward factory, field or barracks. Additional investment, for its part, must come at the expense of military spending or consumption. But the former is inviolate, and the latter has already been assiduously squeezed. Additional burdens have been placed on the economy by massive showpiece projects of questionable economic merit, such as the West Sea Lock Gate near Nampo and the ongoing facelift of Pyongyang.

> "For all these indications of past success North Korea's future is bleak."

Per capita growth in North Korea may have stopped in the mid-1980s; Soviet sources say the economy was in absolute decline by the late 1980s. Thereafter—with the revolutions of 1989 in eastern Europe and the crisis of the Soviet state—the North Korean economy was shaken by an unexpected dislocation. With the end of the Soviet bloc North Korea's trade with these former allies collapsed. Since the advent of hard currency terms of payment last year, for example, the former Soviet Union has all but ceased exporting to North Korea. Just before its dissolution the Warsaw Pact had accounted for well over half of North Korea's trade turnover. The sudden end to this commerce has been devastating. It has deprived North Korea of both its foreign markets for low quality machinery and consumer goods, and of the spare parts and equipment necessary to keep Soviet bloc facilities and infrastructure functioning.

In theory Pyongyang could cope with this particular crisis by

1619 - 17-5

turning toward market-oriented economies. But North Korea
has already poisoned its commercial relations with Western
countries by its default on international loans in the 1970s and
its intransigence with private creditors ever since. In effect
North Korea is reduced to bartering for goods on the world
market, and there is little scope for expanding such activities
under current circumstances.

Yet in a tightly controlled police state neither declining
standards of living nor food shortages should be presumed to
presage an uprising against the government, much less its
overthrow. Perhaps more unsettling to Pyongyang than the
immediate impact of today's economic woes may be the real-
ization that there is simply no way out. Foreign economic
resources might offer the regime some breathing space, but
they are unlikely to be forthcoming in any volume. Even under
the luckiest of circumstances the regime is unlikely to reattain
its pre-1989 foreign balances—and economic prospects at that
time were hardly enviable.

It is, of course, possible that the North Korean economy
could be resuscitated through a far-reaching liberalization.
But Kim's government to date has completely rejected that
option. For Pyongyang such a recalcitrant posture is by no
means irrational. Far from it: the very measures that might
rescue North Korea's economy could doom its political system.

From Kim's perspective it is economic experimentation that
undermined the regimes of eastern Europe. Perestroika, in his
view, not only occasioned economic deterioration in the
U.S.S.R. but brought on the death of Soviet communism. Even
the Chinese approach, while perhaps more satisfactory in its
material outcome, made possible the Tiananmen protests. In
the context of its mortal struggle with Seoul any such protests
in Pyongyang would pose incalculable dangers to the regime.

For the Kim Il Sung regime the lessons of history are
unequivocal: to "reform" is to die. Kim Il Sung may be a
mysterious political personality, but he has never evinced *evidenced*
suicidal inclinations. Desperate though his current situation
may be he seems determined not to risk making it worse by
false moves. Thus it seems likely that North Korea will
forswear any reforms worthy of the name and instead simply
attempt doggedly to hold on. As if to underscore this intention
North Korea's media are today full of talk about "the superi-
ority of our style of socialism."

The 80-year-old Kim will have to relinquish power in the

769-17-6

0040

BNAME: foreign affairs 9704 PAGE: 6 SESS: 4 OUTPUT: Fri Oct 23 12:57:01 1992
1/303/team3/foreignaff/9704/cbc

6 FOREIGN AFFAIRS

not-too-distant future, and, according to the official script,
"Dear Leader" Kim Chong Il will assume his father's mantle.
Preparations for the succession have been underway for al-
most 20 years. From Kim Chong Il's emergence as the cele-
brated (though never named) "Party Center" in 1973, through
the 1980 congress that featured his formal elevation within the
party, and on through his assumption of the rank of marshal
over the country's armed forces in April 1992, there have been
continuous indications that "Dear Leader" was methodically
consolidating power during his father's lifetime. By the official
version the transfer of supreme authority to Kim Chong Il will
be little more than a formality.

Nonetheless Kim Il Sung's exit from politics will be a shock
and crisis for the regime—most assuredly, a greater one than
the global events of 1989–90 that apparently sent Kim Chong
Il into hiding. No matter how carefully or forcefully a hered-
itary transition is orchestrated, there is little reason at present
to expect a reign by Kim Chong Il to be either stable or long.

Risks of Instability

IF ONE WERE TO JUDGE conditions in the peninsula
solely by international headlines one might conclude
that tensions in Korea have been markedly reduced over the
past three years. After all, North Korea's erstwhile benefac-
tors, China and Russia, have developed diplomatic and com-
mercial bonds with Seoul, while the Republic of Korea's most
important supporters, Japan and the United States, have
currently entered into their highest level diplomatic dialogues
with Pyongyang since the 1953 armistice.

After decades of frozen hostility Korea's two governments
signed an agreement on "Rec-
onciliation and Nonaggres-
sion" in December 1991. They
also have agreed in principle to
reciprocal inspections of each
other's nuclear facilities and
are now negotiating the details
of such arrangements. Eco-
nomic contacts between North and South are now officially
sanctioned, and growing. Liaison offices for inter-Korean
diplomacy have formally opened in the North and the South,
and the two countries' prime ministers have met eight times.

> "... the Korean penin-
> sula has entered into
> an era of dangerous
> discontinuity."

OBNAME: foreign affairs 9704 PAGE: 7 SESS: 4 OUTPUT: Fri Oct 23 12:57:01 1992
bs1/303/team5/foreignaff/9704/cbc

KOREA   7

In July a North Korean vice-premier visited Seoul and met with President Roh Tae Woo. There is even talk of a possible peace treaty to bring the Korean War to a formal end.

Such soundings may seem to offer hope for the resolution of Korea's protracted conflict. But hope is a poor guide to policy. As students of Korea are all too well aware, the region's political climate is characterized by seasons of recurrent—and deceptive—calm.

One of these seasons is presently upon us. For behind today's promising atmospherics lies the fact that the Korean peninsula has entered into an era of dangerous discontinuity. After Kim Il Sung is gone the state that he built will lack viability—even while possessing a huge and aggressively poised military machine. There is no means by which external actors could guarantee the continued stability of the regime in the North, even if this were a desirable goal.

The risks of instability in Korea are further compounded by geography. North Korea shares its borders with both China and Russia; South Korea is separated from Japanese islands by less than 50 miles of ocean. It would be unreasonable to expect those three powerful neighbors to sit idly by if conflict should rage so near their territory. In the heat of such a crisis, however, their reactions and responses would retain an irreducible element of unpredictability. Chinese, Russian or Japanese involvement in an ongoing Korean conflict would not only complicate its solution; quite conceivably, it could strain, or rupture, the concordance among great powers upon which the emerging "New World Order" seems to be premised.

For the United States and its allies in the region, then, the paramount concern in northeast Asia in the years ahead must be to prevent war in Korea, and this by ensuring the continued effectiveness of deterrence in the peninsula. In recent years, however, both the nature of deterrence in Korea and the tasks necessary to provide for it have changed. One may appreciate these changes by examining them in greater detail.

Benefits of Going Nuclear

BEFORE THE END of the Cold War the Soviet Union had both strong incentives and some limited instruments for encouraging responsible—or at least predictable—behavior in Pyongyang. Global struggle in a nuclear environment, with its attendant possibilities for uncontrollable

1619― 17-8

JOBNAME: foreign affairs 9704 PAGE: 8 SESS: 4 OUTPUT: Fri Oct 23 12:57:01 1992
/bs1/303/team3/foreignaff/9704/cbc

8 FOREIGN AFFAIRS

escalation, sharpened Moscow's interest in controlling risks emanating from North Korea. During the height of the Cold War the Soviet Union could offer Pyongyang not only aid but the possibility of protection beneath the Soviet nuclear umbrella as inducements to influence North Korean policy. In 1969, for example, Soviet leaders privately assured Washington that they would not back North Korea if Pyongyang should provoke a crisis in the Korean peninsula. In 1985, when North Korea became a signatory to the Nonproliferation Treaty, it was widely believed that heavy Soviet pressure had been the decisive factor in Pyongyang's membership. With the end of communism, however, Russia's likelihood of becoming an inadvertent collateral casualty of a reckless North Korean initiative has been vastly diminished.

Deterrence has been further weakened by an accidental but fateful simultaneity within North Korea; for the departure of Kim Il Sung is coinciding with the arrival of a nuclear option for the regime.

Despite the Western intelligence community's newly voiced alarm about the North's nuclear drive, the program itself has long been in progress. Its genealogy, in fact, dates back to World War II, when Japan chose North Korea as the site for its attempt at a version of the Manhattan Project. Looking back on this program as it nears apparent fruition offers several pointers. First, the program's history emphasizes Pyongyang's longstanding desire and intention to develop nuclear weaponry. Second, it is unlikely that the regime would have marshaled the resources for this long and expensive quest if it had not also long believed that the acquisition of nuclear weapons would affect its balance of power with the South. Finally, it would seem most unlikely that the North Korean regime, as it currently exists, would negotiate away an instrument that was perceived to offer possible dominance in its struggle against the South—or to guarantee Pyongyang protection during a time of adversity.

It is perhaps from Pyongyang's perspective that North Korea's ongoing nuclear inspection negotiations—with Seoul, Washington and the International Atomic Energy Agency (IAEA)—should most properly be viewed. By indicating that it would agree to any inspections at all North Korea has already gained a great deal. As a preparatory confidence-building measure, all American nuclear weapons were reportedly removed from South Korea last year; for decades Pyongyang

JBNAME: foreign affairs 9704　PAGE: 9 SESS: 4　OUTPUT: Fri Oct 23 12:57:01 1992
:s1/303/team3/foreignaff79704/ebc

KOREA 9

had striven for precisely this objective. As part of this agree-
ment, North Korea also has obtained the cancellation of this
year's "Team Spirit" games—the annual joint U.S.-South Ko-
rean military exercise against an assault from the North. By
agreeing to inspection, moreover, North Korea removed a
major obstacle to better bilateral relations with Japan, bringing
Pyongyang nearer to the official diplomatic recognition and
the massive aid it hopes to obtain from Tokyo.

In return for these tangible and pending benefits North
Korea has to date sacrificed precious little. The Joint North-
South Commission is still working out details of a mutual
inspection agreement; however close North Korea may be to
the bomb today, it could be that much further along when
these negotiations are concluded and finalized. IAEA officials
have made three visits to North Korea thus far this year and
have confirmed (adamant North Korean denials notwithstand-
ing) that one of the facilities inspected was in fact a large
plutonium reprocessing plant, designed to generate types of
material that would be used in atomic weapons. Whether
further IAEA inspections could provide insight into North
Korea's nuclear program is unclear. Such inspections are
hobbled by their ground rules: by IAEA tradition only sites
acknowledged by the inspectee may be visited, and even then
the host is given time to prepare for the visit. Moreover, even
if outsiders are able to identify every nuclear facility in North
Korea (including concealed ones), and even if inspectors were
permitted into these facilities, the fact remains that North
Korea might well be able to prevent detection of weapons-
grade nuclear materials if it so wishes, as Iraq succeeded in
doing.

In short Pyongyang has found that even the prospect of
obtaining nuclear weapons has produced immediate conces-
sions from its adversaries, and at no immediate cost to the
regime. This lesson is unlikely to diminish North Korea's
ardor to become a full-fledged nuclear power, or to deter it
from completing its current nuclear program. Unexpected
technical difficulties could slow the pace of development, and
tactical considerations could prompt authorities in Pyongyang
to order a pause in the program. But it would be unrealistic to
expect the North Korean hierarchy to forswear the instru-
ments of atomic diplomacy—especially if they view possession
of nuclear weapons as a sort of insurance policy for the hard
times that are sure to come.

7619-17-10

0044

BNAME: foreign affairs 9704 PAGE: 10 SESS: 4 OUTPUT: Fri Oct 23 12:57:01 1992
1/303/team3/foreignaff/9704/ebe

10 FOREIGN AFFAIRS

Burden Sharing

THE UNITED STATES can contribute to deterrence in Korea. In some cases it can do so by actions in areas far removed from Korea itself: the fact of the American prosecution of the Gulf War against Iraq, for example, has surely reduced the chance that Pyongyang will soon gamble with opportunistic confrontation. But some of the policies and actions that might bolster deterrence in Korea must be taken in the peninsula itself and must be unilateral in nature. Reemphasizing the U.S. commitment to South Korea's defense would be one of these.

Today the Pentagon estimates that it would have no more than 24-hours lead time in the event of an attack from the North. As the end of the Kim Il Sung era approaches the risk of conflict along the "demilitarized zone" is rising, not diminishing. It would be inappropriate at this juncture to instigate further reductions in U.S. force levels in South Korea, if Washington is to reduce the likelihood of the war it wishes to avoid in the region. With large cuts pending in both America's global military budget and worldwide force levels the need to communicate an undiminished willingness and capability to support U.S. allies in Seoul may be all the more urgent.

> *"Today the Pentagon estimates that it would have no more than 24-hours lead time in the event of an attack from the North."*

But the task of deterrence in Korea also begs questions about America's bilateral and multilateral arrangements. Perhaps most importantly it raises issues for the U.S.-R.O.K. security partnership. Close and warm as American-South Korean ties are, and effective as they obviously have been in assuring deterrence these past four decades, the relationship is nevertheless beset with problems. Most of these problems are not new, but their consequences are more obvious, and potentially more costly, at this delicate stage in North Korea's history.

Three problems in the U.S.-R.O.K. security arrangement deserve special mention. The first relates to "intelligence sharing." For many years the sharing process has been virtually a one-way transfer: Washington providing extensive information gleaned from aerial reconnaissance and intercepted communications, with

7619-17-11

0045

OBNAME: foreign affairs 9704 PAGE: 11 SESS: 4 OUTPUT: Fri Oct 23 12:57:01 1992
)s1/303/team3/foreignaff/9704/ebc

Seoul offering little more than interpretation of current events in
the North in return. Meager though it may be, Seoul's contribu-
tion has nevertheless been important; North Korea is a modern-
day "hermit kingdom," and its capabilities and intentions can
hardly be divined from photographs alone. But these lopsided
intelligence arrangements no longer look so easy to justify.

A second problem has to do with the sharing of military
burdens. Today South Korea is an advanced industrial nation.
Seoul estimates the South Korean economy to be more than ten
times larger than the North's. To no small degree Seoul's current
security concerns derive from the fact that this threatened society
has not allocated an adequate portion of its growing wealth to its
own defense. Despite the imminent danger on its border, South
Korea's ratio of military expenditure to gross domestic product is
actually lower than America's (4 percent of GDP in 1990, versus 5.5
percent for the United States); its ratio of men under arms to total
population is only slightly higher. America's continuing defense
commitment is arguably vital to the delicate balance that ensures
the peace in Korea; at the same time, there can be no question that
South Korea would pose a less inviting target to the leadership in
the North (even during a period of internal instability) if it
provided more for its own protection.

Finally, there is an issue that might be termed political burden
sharing. South Korea can no longer be described as a helpless
client dependent upon its American patron. Recent manifesta-
tions of Seoul's "blame America" predilection are admittedly more
benign than, say, during the Kwangju incident of May 1980, when
the previous South Korean government suggested an American
complicity, or even leading role, in the operation that culminated
in the massacre of hundreds of civilians in that city. Nevertheless
such tendencies raise questions about the degree to which South
Korea is prepared to assume responsibility for the actions it judges
to be vital to its own interests and security. By inflaming or creating
anti-American sentiment among the South Korean public such
tendencies also stand to drive a wedge between Washington and
Seoul, thereby complicating security cooperation.

Longing for Reunification

DESPITE KOREA'S long tradition of factionalism, and
the serious disagreements between organized groups
in the country today, the longing for reunification appears to
be virtually universal and nearly overwhelming among Kore-

7619—17—12

JOBNAME: foreign affairs 9704 PAGE: 12 SESS: 4 OUTPUT: Fri Oct 23 12:57:01 1992
/bs1/309/team3/foreignaff/9704/ebc

12 FOREIGN AFFAIRS

ans in the South. A gauge of such sentiment in the North is beyond reach for now. Even under the best of circumstances the challenges to a successful Korean unification will be great, and will run deep—far deeper and greater than those that Germany faced. By any number of criteria Korea's situation as it approaches unification is less auspicious than was Germany's. If American policy is to influence events constructively, its public and its policymakers must understand the likely differences between what they have just seen in Germany and what they may soon view in Korea.

Consider the issue of military demobilization. East Germany and North Korea have roughly the same population—16 million versus 20 million—but Pyongyang's army is believed to be more than seven times larger today than was East Berlin's *Volksarmee* on the eve of German reunification. Nearly every fifth North Korean male of working age is in uniform and under arms. A free and peaceful Korean unification would make for a military builddown of an utterly different magnitude from the one now underway in Germany; the strategic, political and social problems attendant to such a conversion would be correspondingly greater as well.

> "... *Korea's situation as it approaches unification is less auspicious than was Germany's.*"

Moreover economic reunification could be considerably more difficult for Korea than it is proving to be for Germany. Five disadvantages may be adduced for Korea that did not obtain for Germany. First, North Korea is larger, relative to its divided neighbor, than was East Germany. Absorbing and providing for the postcommunist population thus stands to be a more massive task for Seoul than it has been for Bonn (and, here, it must be said, Chancellor Helmut Kohl vastly underestimated the costs, both in financial and political terms, of that absorption). Second, North Korea's economy is even more distorted than was East Germany's. Third, despite its material advance over the past generation, South Korea is not yet an affluent society. Its per capita output today is roughly a third of America's and less than half of west Germany's. Indeed intellectual and official circles in Seoul seem to be increasingly anxious about what Germany's economic experience may portend for Korea. There are even those in Seoul who speak of the need to prop

7619-17-13

·BNAME: foreign affairs 9704 PAGE: 13 SESS: 4 OUTPUT: Fri Oct 23 12:57:01 1992
1/303/tcam3/foreignaff/9704/ebe

KOREA 13

up the North and thereby postpone an over-hasty reunification.

Fourth, unlike East and West Germany, North and South Korea have had virtually no contact with one another over the past forty years. Apart from a tiny and privileged cadre North Koreans know virtually nothing about life in the South. With a rapidly reunified economy their exposure to this unknown society could coincide with 'massive layoffs and other social dislocations. At the same time a unified and free peninsula would presumably offer opportunities for millions of North Koreans to migrate en masse to the more materially inviting South. How a population raised in enforced economic innocence would respond to such a decompression is difficult to predict.

Finally, since North Korea, unlike East Germany, is no one's satellite, Seoul cannot hope to ease or speed reunification through a well-placed bribe to an outside power; some future government in Beijing might well accept money for such a deal, but it would not be in a position to deliver on it.

Yet if there is a new and unexpected angst in South Korea regarding the economics of unification, it derives to some extent from a misreading of the purported "lessons of Germany."

The cost of unification for a divided nation is not a predetermined sum, fixed and immutable. It is a quantity, rather, determined by human action and government policy. For better or worse South Korea is not yet a welfare state, and its labor market continues to be exposed to and conditioned by fierce competitive forces. However else a Korean reunification may suffer by comparison with Germany, Korea would be free from the fiscal burdens and the sclerotic restrictions that necessarily devolve from the arrangements of a "social market economy." This difference speaks to an inherent Korean advantage in reunification—and hardly an inconsequential one.

Indeed one can imagine other ways in which integration of the two Korean economies could produce benefits for both. South Korea, for example, is today beginning to experience symptoms of labor shortage. Illegal immigrants are now a fact of life in Seoul: the main rail station downtown is now the site of an early morning market for foreign day-laborers, with Filipino, Bangladeshi and other workers negotiating temporary employment with local small businesses. (As many as

7619-17-14

0048

[JOBNAME: foreign affairs 9704 PAGE: 14 SESS: 4 OUTPUT: Fri Oct 23 12:57:01 1992
bs1/303/team9/foreignaff9704/ebe

14 FOREIGN AFFAIRS

45,000 illegal immigrants are believed to have come to South Korea thus far to fill jobs South Koreans cannot or will not take.) With reunification the South's incipient labor shortage could be immediately relieved. In theory it would be possible to raise purchasing power for workers from the North, reduce production costs and inflationary pressures in the South, and improve Korea's overall competitiveness in international markets. Such opportunities, of course, might not be grasped for a variety of reasons. The point, however, is that these promising economic prospects and others would exist—and as a direct result of reunification.

The economic success of reunification in Korea will depend upon Seoul's ability to establish an environment in the North that is conducive to high rates of return on both physical and human capital. Unfortunately it is precisely in its prospects for establishing such an environment in the North that Korea's greatest disadvantage by comparison with Germany may be seen. For today the Federal Republic of Germany and the Republic of Korea are, at their essence, very different sorts of states. Whatever its imperfections the Federal Republic of Germany is a *Rechtsstaat*—a state administering and restrained by the rule of law. To date the Republic of Korea cannot be similarly described. It is this fundamental dissimilarity, perhaps more than any other, that will cloud Korea's future if free and peaceful reunification of the peninsula is in fact achieved.

Holes in Rule of Law

THE REPUBLIC of Korea claims to be a democracy, and by some criteria may qualify as one. Certainly its polity has been evolving in the direction of pluralism. Under its current constitution both the president and legislators of the national assembly are selected by popular election. Since 1987 campaigns for these posts have been genuinely competitive, and tallied results appear to correspond with actual votes. It is no longer inconceivable for the ruling party's presidential candidate to lose, or for incumbent members of the national assembly to be turned out of office. In and of themselves, however, universal suffrage and reasonably fair mass plebiscites do not betoken the rule of law, much less guarantee a civil society or a liberal order. Despite increasing pressures for

1617-17-15

JOBNAME: foreign affairs 9704 PAGE: 15 SESS: 4 OUTPUT: Fri Oct 23 12:57:01 1992
/bs1/303/team3/foreignaff/9704/ebe

KOREA   15

accountability, the fact is that regular, impartial and limited governance remains an elusive ideal in South Korea.

Emblematic of the fragile foundations upon which civil society in South Korea currently balances are the troubles American and other Western businesses encounter in the realm of commerce. Though South Korea's dazzling commercial performance and its outward economic orientation might have been expected to open great local opportunities for foreign concerns, the position of Western businesses operating in South Korea remains marginal, often tenuous. A principal factor in their plight seems to be that foreign corporations in Korea cannot expect protection under South Korean law and may be subject to arbitrary government-enforced restriction, sanction or punishment. In 1990, for example, Seoul initiated a "frugality" campaign against foreign consumer goods; foreign importers of those products and Korean citizens who purchased them were subjected to official, albeit extralegal, intimidation and harassment. Even more recently American and European firms in Korea formally complained that the country's laws for protecting intellectual property rights (copyrights, patents and the like) continue to be largely unenforceable if the injured party is not Korean.

> "... the position of Western businesses operating in South Korea remains marginal, often tenuous."

While foreign firms in South Korea surely suffer from the arbitrary exercise of government power, they are not the group most regularly and severely afflicted. That unwelcome accolade falls upon the Republic of Korea's own citizenry. After all, next to the ordinary Korean, Western businesses in Korea have tremendous recourse if they feel they have been unjustly treated by the state. They have the financial wherewithal to pursue their case through the local courts. They can count upon their home governments to represent their interests through diplomatic channels. Denied all satisfaction, they have the option of withdrawing from Korea and relocating elsewhere. How much more vulnerable the ordinary Korean appears to be by comparison.

One can argue, of course, that the state is no more lawless in South Korea than in many—perhaps most—other Asian countries. Moreover, however lawlessly the South Korean state may

761?-17-16

JOBNAME: foreign affairs 9704 PAGE: 16 SESS: 4 OUTPUT: Fri Oct 25 12:57:01 1992
7bs1/303/team3/foreignaff/9704/ebe

16　FOREIGN AFFAIRS

have behaved over the past generation, its conduct quite obviously did not forestall rapid and sustained material advance for the populace under its jurisdiction. But as unification approaches, the risks and costs of failing to establish and abide by a rule of law will grow ever greater.

Overcoming Government by Grudge

WHATEVER ELSE may be unclear today about Korea's eventual reunification, it is sure to be attended by turbulence, for which U.S. policymakers must soon prepare. It will also be a time of widespread apprehension in the North. The population of North Korea has known scarcely anything other than harsh Japanese colonialism and communist dictatorship. To the extent that they are aware of their history, they know that government by grudge is traditionally Korean—and that grudges have in the past been perpetrated against entire regions. Despite the longing for reunification in Korea, regional bitterness in that divided nation runs deep and has been inflamed still further during partition. Over a tenth of Korea's population perished during the Korean War: most Koreans today can name at least one relative lost to that terrible conflict, and memories of the atrocities committed during the fighting remain vivid.

If deterrence has made possible the opportunities for reunification that exist in the Korean peninsula today, it is the rule of law that offers the key to the nation's alternatives for the future. Can American policy—and American citizens—constructively contribute today to the establishment of secure and uncontested rule of law in Korea? If so, how? The answers to these questions are not obvious. Even so, there can be no doubt about the importance of addressing them. For Korea's success—or failure—in constructing a civil society and a legal order will not only affect the well-being of the Korean people long after the division of the peninsula is formally ended, but will shape the nature of international security in northeast Asia in the years to come.

1619-17-17

北, 플루토늄 70年代 분리성공

90年代중반엔 2百60㎏까지 생산가능

美 원자과학報 보도

[빈=聯] 北韓에 대한 국제핵사찰이 진행됨에 따라 北韓 핵개발 계획의 위험성에 대한 새로운 우려가 계속 제기되고 있다.

전문가들의 이러한 우려는 특히 북한의 플루토늄 생산능력에 대한 것으로 최근 美國의 원자력 전문

지 「원자과학報」 최신호는 북한이 70년대에 플루토늄 분리에 성공, 90년대 중반에는 무기용으로 사용될 수 있는 수준의 플루토늄을 연간 2百~2百60㎏이나 생산할 수 있게 된다고 밝혔다.

플루토늄 2百㎏은 소형 핵폭탄 30개 가량을 제조할 수 있는 분량이다.

— 중앙일보 1992. 12. 5. (토) —

0052

공   란

공 란

공   란

공 란

외 무 부

특(홍)

종 별 : 지 급

번 호 : USW-6018

일 시 : 92 1208 1914

수 신 : 장관 (미일,미이)

발 신 : 주 미 대사

제 목 : CLARK 동아태 차관보 연설

침부문 단요시 인근부서에 요청 바람

1. 국무부 CLARK 동아태 차관보는 12.3-4. 간 ASIA SOCIETY 휴스턴지부 및 시카고 소재 THE MID-AMERICA COMMITTEE 에서 각각 미국의 동북아 및 아.태지역 정책에 관해 연설하였는 바, 동 연설 내용중 북한 핵문제 및 동북아 관련국 대화 문제에 관한 언급 요지 아래 보고함.

가. 북한 핵문제

O 한. 미 양국간 긴밀한 협의 및 한. 미.일 3 자협의 체제의 성과 평가

- 북한의 점진적 호응 유도 및 북한핵문제에 대한 중.러등 국제사회의 컨센선스 도출

O 북한은 IAEA 핵 안전협정 이행에 협조 자세를 보이고 있으나, 북한 핵개발 검증을 위해서는 상당한 시일을 요하며 북한의 전폭적 협조 필요

O 한반도 비핵화에 관한 남. 북한 공동선언에도 불구 북한은 아직 재처리 시설 불포기

- 신뢰성 있는 남북 상호사찰 제도의 확립은 IAEA 사찰을 보완, 북한의 핵 의무 이행 여부 확인에 필요 불가결

O IAEA 및 남북 상호사찰 실시를 통해 북한 핵문제가 해결될 경우 미국은 북한과의 정책대화 및 관계개선 조치를 취할 용의

- 여타 우방도 공동보조를 취할 것으로 기대

나. 동북아 관련국 대화

O 동북아 안보를 위해서는 한. 미 및 미.일 안보협력이 무엇보다 긴요하나, 역내 국간 정치, 경제 관계 변화에 비추어 보다 포괄적인 안보시각과 협력체제 필요

O 미국은 노태우 대통령이 제의한 동북아 관련국 대화 문제를 신중히, 적극적으로 검토 (CAREFULLY AND VIGOROUSLY EXPLORE) 희망

미주국 안기부	장관	차관	1차보	미주국	외연원	외정실	분석관	정와대

- 한반도 문제 해결을 위해서는 남북대화가 우선적인 수단이 되어야 하나, 여사한 지역 협의체 (A SUB-REGIONAL DIALOGUE)는 신뢰증진 및 한반도 통일 촉진에 기여

- 또한, 동 협의체는 현재 태동중인 아. 태 지역협의체의 일환으로서 동남아 제국간에 진행중인 유사한 대화 노력을 보완하는 효과(단, 아. 태지역 협의체의 중심은 APEC 이 되어야함)

2. 상기 ASIA SOCIETY 연설문을 팩시편 별송함 (MID-AMERICA COMMITTEE 연설문 내용은 대동소이). 끝.

첨부: USW(F)-7842(20 매)

(대사 현홍주 - 국장)

예고: 93.6.30. 일반

USR(F) : 1842   년월일 : 92.12.8   시간 : 19:14

수 신 : 장 관 (미일, 미이)

발 신 : 주미대사

제 목 : Clark 차관보 연설 (첨부물) ──── (출처 : ──────)

보통	안	제	친비

(1842 - 20 - 1)

외신 1과	
통 제	

CHALLENGES OF CHANGE, CHALLENGES OF CONTINUITY:

U.S. POLICY AND NORTHEAST ASIA IN A NEW ERA

AMBASSADOR WILLIAM CLARK, JR

ASSISTANT SECRETARY OF STATE FOR EAST ASIAN AND PACIFIC AFFAIRS

AN ADDRESS TO THE

ASIA SOCIETY

HOUSTON, TEXAS

DECEMBER 3, 1992

784 - 20-2

0060

THANK YOU FOR IIIIII INTRODUCTION. A FEW WEEKS AGO, THE
ASIA SOCIETY WAS KIND ENOUGH TO HOST A LUNCHEON WHICH ALLOWED
ME TO PRESENT OUR VIEWS ON SOUTHEAST ASIA. I AM DELIGHTED
THAT THIS OCCASION WILL LET ME ROUND OUT THE REGION AND
SKETCH OUR VIEWS ON NORTHEAST ASIA AND THE CHALLENGES AHEAD.

   CLEARLY, WE ARE IN A PERIOD OF HISTORIC CHANGE, OF A
TRANSFORMATION OF INTERNATIONAL RELATIONS MARKED BY
UNCERTAINTY AND UNPREDICTABILITY. IN THESE UNCHARTED WATERS,
WE ARE ALL TRYING TO SHAPE AN INTERNATIONAL SYSTEM ABLE TO
MEET THE COMPLEX CHALLENGES OF THE POST-COLD WAR WORLD. LET
ME TAKE A MOMENT TO SKETCH THE NEW POLITICAL ENVIRONMENT
WHICH IS CHARACTERIZED BY:

   -- GLOBAL TRENDS TOWARDS MARKET-ORIENTED ECONOMICS,
   GLOBAL ECONOMIC INTEGRATION SPARKED BY RAPID
   TECHNOLOGICAL CHANGE, POLITICAL PLURALISM, AND THE
   BANKRUPTCY OF COMMUNISM AS A POLITICAL AND ECONOMIC
   SYSTEM;

   -- INSTANTANEOUS FLOWS OF COMMUNICATIONS AND CAPITAL ARE
   ERODING NATIONAL BOUNDARIES. COMBINED WITH TRANSNATIONAL
   PROBLEMS SUCH AS ENVIRONMENTAL DEGRADATION, THE
   PROLIFERATION OF WEAPONS OF MASS DESTRUCTION, NARCOTICS,
   REFUGEES, AND THE AIDS EPIDEMIC, THESE REALITIES REQUIRE
   US TO TRANSFORM OUR NOTIONS OF NATIONAL SOVEREIGNTY;

7842-20-3

0061

-- A WORLD WHERE TECHNOLOGICAL AND COMMERCIAL CAPABILITIES AS MUCH AS MILITARY STRENGTH ARE THE DEFINING ELEMENTS OF NATIONAL POWER AND INFLUENCE;

-- AS MANY OF THESE FORCES ARE PULLING THE NATION-STATE FROM ABOVE, THE CENTRIFUGAL FORCES OF A RENASCENT ETHNO-NATIONALISM -- UNFROZEN BY THE END OF THE COLD WAR -- ARE TUGGING IN THE OTHER DIRECTION.

NORTHEAST ASIA -- JAPAN, CHINA, RUSSIA, THE TWO KOREAS AND MONGOLIA -- WILL PLAY A MAJOR ROLE IN THE EMERGING INTERNATIONAL SYSTEM. THE ECONOMIES OF NORTHEAST ASIA ACCOUNT FOR SOME 20% OF TOTAL WORLD GNP AND AN EVEN LARGER PROPORTION OF WORLD TRADE. JAPAN, OF COURSE IS AN ECONOMIC AND FINANCIAL SUPERPOWER AND A TECHNOLOGICAL LEADER.

MILITARILY, THIS PART OF ASIA INCLUDES TWO OF THE FIVE DECLARED NUCLEAR POWERS, TWO OF OUR MAJOR TREATY ALLIES, AND SOME OF THE WORLD'S LARGEST MILITARY ESTABLISHMENTS: A THREE MILLION MAN ARMY IN CHINA; MORE THAN A MILLION AND HALF MEN UNDER ARMS ON THE KOREAN PENINSULA; AND RUSSIA REMAINS A NUCLEAR SUPERPOWER WITH SOME TWO MILLION MEN UNDER ARMS. OUR FORWARD DEPLOYED FORCES IN AND SECURITY ALLIANCES WITH JAPAN AND KOREA REMAIN PILLARS OF STABILITY IN THE REGION.

784-20-4

0062

EAST ASIA, PARTICULARLY THE NORTHEAST QUADRANT, IS VERY
MUCH A REGION IN FLUX. I SEE SOME REMARKABLE SIGNS OF
CHANGE, FASCINATING NEW PATTERNS OF ECONOMIC AND POLITICAL
RELATIONS UNFOLDING. YET AT THE SAME TIME, IN THE HEAVY
LEGACY OF THE PAST THERE IS MUCH CONTINUITY IN THE REGION.
THIS ENDURING BURDEN OF HISTORY TENDS TO CIRCUMSCRIBE THE
PACE OF CHANGE AMIDST LINGERING DISTRUST.

REGIONAL TRENDS

ON THE CHANGE SIDE, <u>POLITICALLY</u>, THE END OF THE COLD WAR
HAS MEANT THE <u>POSSIBILITY</u> OF RUSSIA AS A PARTNER ACROSS THE
BOARD. IN THE REGION IT HAS SPURRED: SINO-RUSSIAN
RAPPROCHEMENT; RUSSIAN AND CHINESE NORMALIZATION WITH THE
ROK, A DEMOCRATIC TRANSFORMATION IN MONGOLIA, THE ADMISSION
OF TWO KOREAS TO THE U.N. AND MAJOR STRIDES TOWARDS
NORTH-SOUTH RECONCILIATION ON THE PENINSULA. THE
UNPRECEDENTED VISIT OF EMPEROR AKIHITO TO CHINA IS ANOTHER
MEASURE OF CHANGE IN THE NORTHEAST ASIA OF THE 90S.

THE GLOBAL TREND TOWARDS DEMOCRACY IS ALSO EVIDENT: SOUTH
KOREA AND TAIWAN CONTINUE ON A DEMOCRATIC COURSE, ONE WHICH I
AM CONFIDENT WILL BE REINFORCED LATER THIS MONTH BY FREE AND
FAIR ELECTIONS; MONGOLIA IS ASIA'S FIRST POST-COMMUNIST
DEMOCRACY. DESPITE A TRAGIC SETBACK IN 1989 AT TIANANMEN
SQUARE, THE POPULAR IMPULSE TOWARDS POLITICAL PLURALISM IN
CHINA, HOWEVER LATENT, HAS NOT BEEN EXTINGUISHED.

7842-20-5

YET REMNANTS OF THE COLD WAR PERSIST: IN THE DIVIDED AND STILL HEAVILY-ARMED KOREAN PENINSULA; THE LINGERING RUSSO-JAPANESE DISPUTE OVER THE NORTHERN TERRITORIES; AND THE REEMERGENCE OF TRADITIONAL SUSPICIONS AND RIVALRIES FROM AN EARLIER ERA IS ALSO A FACTOR IN THE REGION.

IMPENDING GENERATIONAL LEADERSHIP CHANGES ALSO CLOUD THE FUTURE: IN ALL THE RESIDUAL COMMUNIST -- OR I SHOULD SAY, CONFUCIAN-LENINIST STATES -- CHINA, NORTH KOREA, AND VIETNAM, THE CHARACTER OF THESE CHANGES COULD HAVE A MAJOR IMPACT ON THE REGION. CHINA-TAIWAN RELATIONS MAY BE AFFECTED. JAPAN TOO FACES GENERATIONAL CHANGE THAT WILL INFLUENCE ITS FUTURE ROLE.

PACIFIC RIM ECONOMICS

ECONOMICALLY WE SEE REMARKABLE DEVELOPMENTS. THE EXPLOSIVE GROWTH OF TRANS-PACIFIC AND INTRA-ASIAN TRADE AND INVESTMENT -- ALONG WITH THE INFORMATION REVOLUTION -- DEEPENS A PATTERN OF REGIONAL INTEGRATION. SOME OF THIS IS IN THE FORM OF "GROWTH CLUSTERS" -- INTRA-REGIONAL ECONOMIC TIES FORMING WITHOUT REGARD TO NATIONAL BORDERS.

LET ME CITE A FEW CASES IN POINT: THE INTEGRATION OF HONG KONG-TAIWAN-SOUTHERN CHINA IS A DRAMATIC EXAMPLE. HONG KONG HAS INVESTED SOME $27 BILLION IN CHINA AND IS ITS MAJOR TRADE ENTREPOT; TAIWAN-MAINLAND TRADE NOW EXCEEDS $6 BILLION ANNUALLY.

7842- 20-6

0064

THIS "GROWTH CLUSTER" PHENOMENON IS ALSO EVIDENT IN
SINO-RUSSIAN BORDER TRADE, IN ROK PRIVATE SECTOR TIES IN THE
CHINESE PROVINCES OF JILIN, LIAONING AND SHANDONG; AND IS
REFLECTED IN THE GROWING INTEREST A TUMEN RIVER DEVELOPMENT
PROJECT.

INDEED BY NEXT YEAR, SINO-SOUTH KOREAN TRADE MAY REACH
$10 BILLION. SIMILARLY, JAPANESE TRADE AND INVESTMENT IN
SOUTH KOREA AND CHINA CONTINUES TO EXPAND DYNAMICALLY. MORE
BROADLY, INTRA-ASIAN TRADE -- IS NOW ALMOST 50% OF TOTAL
ASIAN TRADE -- AND U.S. TRANS-PACIFIC TRADE WAS $315 BILLION
LAST YEAR. BOTH HAVE GROWN MARKEDLY OVER THE PAST DECADE AND
CONTINUE TO DO SO.

WE SEE CHINA GROWING AT 8-10% A YEAR AS IT CONTINUES DOWN
THE PATH OF MARKET-ORIENTED REFORM, AND BECOMING INCREASINGLY
INTEGRATED INTO THE REGIONAL ECONOMY AND THE INTERNATIONAL
ECONOMIC SYSTEM. THE RECENT PARTY CONGRESS CLEARLY
REINFORCES -- AND SEEMS TO PORTEND AN ACCELERATION OF --
CHINESE ECONOMIC REFORMS.

U.S. AND NE ASIA

SO WHAT DO ALL THESE TRENDS MEAN FOR THE UNITED STATES?
BROADLY, EAST ASIA'S ECONOMIC DYNAMISM SUGGESTS THAT AS WE
REVITALIZE THE U.S. ECONOMY, ASIA SHOULD LOOM EVEN LARGER IN
OUR FUTURE.

ECONOMIC AND POLITICAL REALITIES IN NE ASIA HOLD THE
PROMISE OF FORGING NEW MECHANISMS AND INSTITUTIONS TO SUSTAIN
ECONOMIC GROWTH, ENHANCE SECURITY AND EVOLVE INTO A STRUCTURE
FOR PEACE. IN SHORT, TO SHAPE THIS NEW ASIA-PACIFIC
COMMUNITY WITH A PLACE FOR THE U.S., OUR ENGAGEMENT IS KEY.

IN THIS TRANSITION PERIOD, THE U.S. STABILIZING SECURITY
ROLE AND OUR ECONOMIC AND POLITICAL LEADERSHIP ARE CRITICAL
TO EFFORTS TO GIVE A POSITIVE STRUCTURE TO THIS NEW ERA. THE
SUCCESS OF OUR FRIENDS AND ALLIES HAS OPENED UP NEW PROSPECTS
FOR MORE RECIPROCAL ECONOMIC, POLITICAL AND SECURITY
PARTNERSHIPS -- MORE SHARED RESPONSIBILITY IN A COLLABORATIVE
WORLD.

FUTURE CHALLENGES IN ASIA

TO REALIZE THE PROMISE OF THIS EMERGING NEW ERA, WE MUST
MEET A NUMBER OF KEY CHALLENGES.

ECONOMICALLY, OUR MOST FUNDAMENTAL CHALLENGE IS TO RENEW
AMERICAN COMPETITIVENESS FOR THE 21ST CENTURY. THIS MEANS:
RAISING OUR SAVINGS AND INVESTMENT RATES; BETTER
COMMERCIALIZING NEW TECHNOLOGIES; REDUCING THE BUDGET DEFICIT
AND NATIONAL DEBT; RAISING OUR EDUCATIONAL STANDARDS AND
REFORMING HEALTH CARE. ONLY A COMPETITIVE AND SELF-CONFIDENT
AMERICA WILL BE AN ENGAGED AMERICA.

0066

WE ALL FACE MULTIPLE ECONOMIC CHALLENGES: GLOBAL,
REGIONAL AND BILATERAL. MAINTAINING AN OPEN SYSTEM OF TRADE
AND INVESTMENT IS ONE OF THE MAJOR TASKS WE FACE IN SHAPING A
POST-COLD WAR INTERNATIONAL SYSTEM. THE ASIA-PACIFIC REGION
MUST PLAY A LEADING ROLE IN PRESSING FOR AN EXPANDED OPEN
GLOBAL TRADING SYSTEM. AND WE NEED TO BRING CHINA AND TAIWAN
INTO THE GATT.

BEYOND THE GATT, WE NEED TO PURSUE A REGIONAL TRADE
LIBERALIZATION AGENDA THAT WILL ENHANCE ASIA-PACIFIC
INTEGRATION. THE ASIA-PACIFIC ECONOMIC COOPERATION
ORGANIZATION (APEC) -- AND I WILL TALK MORE ABOUT IT IN A
MOMENT -- PROVIDES AN EXCELLENT VEHICLE FOR ACHIEVING THESE
GOALS. SUCCESS IN THIS REGARD WILL HELP DEFINE POLITICAL AND
SECURITY DYNAMICS IN THE REGION, FORGE A MORE COHESIVE
PACIFIC COMMUNITY AND STRENGTHEN THE ASIA-PACIFIC VOICE IN
THE INTERNATIONAL SYSTEM.

BILATERAL CHALLENGES: JAPAN AND CHINA

THE U.S.-JAPAN RELATIONSHIP, PARTICULARLY OUR BILATERAL
SECURITY ALLIANCE, HAS BEEN -- AND REMAINS -- A FUNDAMENTAL
UNDERPINNING OF STABILITY IN ASIA. OUR SECURITY TIES TO THE
REPUBLIC OF KOREA REMAIN KEY TO DETERRING CONFLICT.

IN OUR EAST ASIA STRATEGY INITIATIVE (EASI) WE HAVE
OUTLINED A POST-COLD WAR STRATEGIC FRAMEWORK FOR THE REGION

1842-20-9

0067

AND A MEASURED ADJUSTMENT PROCESS TO RESTRUCTURE BOTH OUR
FORWARD DEPLOYED FORCES AND OUR DEFENSE RELATIONSHIPS FOR A
NEW ENVIRONMENT. IN PHASE I OF THIS THREE-PHASE PROCESS WE
HAVE REMOVED SOME 5000 TROOPS FROM JAPAN, 7000 TROOPS FROM
THE REPUBLIC OF KOREA, AND ABOUT 15,000 FROM THE PHILIPPINES
AS WE ENDED OUR BASE PRESENCE. IN KOREA, WE ARE MOVING FROM
A LEAD TO SUPPORT ROLE IN THE DEFENSE OF THE REPUBLIC OF
KOREA, AND IN SOUTHEAST ASIA WE HAVE MOVED FROM A FIXED BASE
TO AN ACCESS STRATEGY, ENHANCING OUR DEFENSE RELATIONSHIPS
WITH OUR ASEAN FRIENDS.

BUT THE U.S.-JAPAN RELATIONSHIP REMAINS THE KEYSTONE OF
OUR ENGAGEMENT IN ASIA. TOGETHER THE US AND JAPAN REPRESENT
NEARLY 40% OF THE WORLD'S GNP AND CONSTITUTE TWO HIGHLY
INTERDEPENDENT ECONOMIES. OUR TWO NATIONS HAVE A RARE
OPPORTUNITY TO MARSHAL UNPARALLELED RESOURCES AND WE HAVE THE
ABILITIES TO MEET THE CHALLENGES OF THE 21ST CENTURY IF WE
CAN REALIZE THE PROMISE OF OUR GLOBAL PARTNERSHIP.

STILL, WE MUST NEVER FORGET WE ARE COMPETITORS AS WELL AS
PARTNERS. THE CHALLENGE IS TO FORGE A MORE EQUITABLE
FRAMEWORK FOR PARTNERSHIP WITH TOKYO BASED ON A MORE
RECIPROCAL ECONOMIC RELATIONSHIP. THIS IS KEY NOT ONLY TO
STABILITY IN ASIA, BUT TO A VIABLE INTERNATIONAL POST-COLD
WAR SYSTEM. FOR THIS PARTNERSHIP TO WORK BOTH SIDES MUST
SHARE RESPONSIBILITIES -- ECONOMIC AS WELL AS SECURITY AND
POLITICAL.

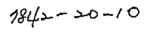

0068

WE RECOGNIZE THAT JAPAN'S LEADERS AND ITS PEOPLE ARE
GRAPPLING WITH THE DIFFICULT TASK OF DEFINING A JAPANESE
GLOBAL ROLE, ONE COMMENSURATE WITH ITS ECONOMIC STATUS.
JAPAN'S DISPATCH OF PEACEKEEPING FORCES TO CAMBODIA AFTER A
STORMY INTERNAL DEBATE IS A HISTORIC POLITICAL STATEMENT THAT
TOKYO IS MOVING BEYOND "CHECKBOOK DIPLOMACY." AND OUR
COOPERATION ON A BROAD RANGE OF ISSUES -- FROM MONGOLIA AND
AID TO THE C.I.S. TO THE ENTERPRISE FOR THE AMERICAS
INITIATIVE -- DEMONSTRATES THE BREADTH OF POSSIBILITIES FOR A
GLOBAL PARTNERSHIP.

IN THE DEFENSE REALM, JAPAN HAS BUILT SELF-DEFENSE
CAPABILITIES FULFILLING "ROLES AND MISSIONS" TO COMPLEMENT
OUR FORWARD DEPLOYED FORCES. ITS GENEROUS HOST-NATION
SUPPORT WILL REACH 73% OF NON-SALARY COSTS FOR U.S. FORCES IN
JAPAN BY 1995. PROGRESS TOWARDS ACHIEVING A TWO-WAY FLOW OF
DEFENSE-RELATED TECHNOLOGY ALONG WITH THESE OTHER ELEMENTS
BODE WELL FOR OUR SECURITY ALLIANCE.

BUT TO SUSTAIN AND STRENGTHEN OUR MULTIFACETED TIES, WE
MUST HAVE AN ECONOMIC RELATIONSHIP WITH OPENNESS IN BOTH
DIRECTIONS. THROUGH SII, SECTORAL MARKET OPENING TALKS AND
MACRO-ECONOMIC POLICY ADJUSTMENTS WE HAVE WORKED TO REDRESS
THE UNSUSTAINABLE IMBALANCE AND ITS STRUCTURAL CAUSES. YET
DESPITE PROGRESS, OUR TRADE DEFICIT WITH JAPAN WILL INCREASE
TO SOME $50 BILLION THIS YEAR. CLEARLY, JAPAN MUST DO MORE TO
REMOVE OBSTACLES TO TRADE AND INVESTMENT. JAPAN MUST MAKE IT

0842-20-11

0069

EASIER FOR US TO DO BUSINESS. WE MUST ALL PLAY BY THE SAME
RULES.

INDEED, JAPAN'S RECORD GLOBAL TRADE SURPLUS OF SOME
$120 BILLION FOR 1992 UNDERSCORES THAT ITS TRADE TENSIONS
ARE AS GREAT WITH THE EC AND THE REST OF ASIA AS WITH THE
U.S. NO COUNTRY HAS BENEFITED MORE FROM THE OPEN GLOBAL
TRADING SYSTEM THAN JAPAN. YET JAPAN HAS NOT BEEN LEADING
THE DRIVE TO COMPLETE THE URUGUAY ROUND OF THE GATT TO RENEW
AN OPEN TRADE REGIME. THE SYSTEM ONLY WORKS WHEN LEADING
POWERS LEAD.

OUR RELATIONSHIP WITH CHINA IS ALSO AN IMPORTANT ELEMENT
IN THE EAST ASIAN EQUATION. CHINA'S FUTURE ROLE IS ONE OF
THE REGION'S MAJOR UNCERTAINTIES. WHAT THAT ROLE BECOMES
WILL BE GREATLY INFLUENCED BY THE STATE OF SINO-AMERICAN
RELATIONS. AND THE TIANANMEN MASSACRE SHATTERED THE
BIPARTISAN CONSENSUS THAT SUSTAINED OUR CHINA POLICY SINCE
THE NIXON OPENING TWO DECADES AGO.

WITH 23% OF HUMANITY, A PERMANENT SEAT ON THE U.N.
SECURITY COUNCIL, NUCLEAR WEAPONS, AND SIGNIFICANT REGIONAL
AND GLOBAL INFLUENCE, CHINA CANNOT BE IGNORED OR ISOLATED.
WHAT CHINA DOES OR DOES NOT DO AFFECTS OUR INTERESTS IN EAST
ASIA AND BEYOND. WE MUST FIND A NEW EQUILIBRIUM IN
SINO-AMERICAN RELATIONS.

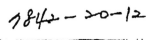

WE ARE STILL IN THE PROCESS OF PUTTING IN PLACE THE
VARIOUS PARTS OF A NEW, MORE PRAGMATIC, MORE BALANCED
RELATIONSHIP AND REBUILDING A BIPARTISAN CONSENSUS. I WOULD
POINT OUT, HOWEVER, THAT THE CURRENT POLICY, IN THE WORDS OF
ONE PROMINENT CHINA SCHOLAR IS "THE CHINA POLICY NOBODY
KNOWS." DESPITE THE POPULAR IMAGERY, OUR CHINA POLICY — THE
TOUGHEST IN THE WORLD — IS THE RESULT OF EXECUTIVE AND
LEGISLATIVE INTERACTION — OF THE ADMINISTRATION'S EFFORTS TO
MEET WIDE-RANGING CONCERNS ABOUT CHINESE BEHAVIOR AT HOME AND
ABROAD.

WE HAVE PURSUED A STRATEGY OF ENGAGEMENT DESIGNED TO
ENCOURAGE CHINA FURTHER DOWN THE PATH OF REFORM, AND TO
INTEGRATE THE PRC INTO THE WORLD SYSTEM BY ENCOURAGING CHINA
TO MEET WORLD NORMS, PARTICULARLY IN THE KEY AREAS OF TRADE,
HUMAN RIGHTS, ARMS EXPORTS AND PROLIFERATION.

I BELIEVE THERE IS A BASIS FOR A STABLE RELATIONSHIP,
COOPERATING IN AREAS WHERE OUR INTERESTS CONVERGE SUCH AS THE
KOREAN PENINSULA, AND WORKING THROUGH OUR DIFFERENCES IN
AREAS WHERE OUR VALUES AND PRACTICES DIVERGE. RATHER THAN
ADOPTING BLANKET TRADE SANCTIONS, WE HAVE PURSUED A POLICY OF
APPLYING TARGETED SANCTIONS IN SPECIFIC AREAS OF CONCERN AS A
MORE EFFECTIVE MEANS OF ATTAINING THE RESULTS WE ALL DESIRE
THAN WOULD BE POSSIBLE WITH BLANKET TRADE SANCTIONS.

WE HAVE SEEN CHINA COOPERATE IN RESOLVING REGIONAL
CONFLICTS IN CAMBODIA AND KOREA, JOINING THE NPT,

0071

AND DECLARING ITS ADHERENCE TO MTCR GUIDELINES. IN THE TRADE
AREA, WE HAVE ATTAINED AGREEMENTS WHICH PROTECT INTELLECTUAL
PROPERTY RIGHTS, BAN PRODUCTS PRODUCED BY PRISON LABOR AND
EXPAND MARKET ACCESS. AND WHILE CHINA'S HUMAN RIGHTS
PERFORMANCE REMAINS WOEFULLY INADEQUATE, WE MAKE BOTH FORMAL
AND INFORMAL REPRESENTATIONS TO BEIJING OFFICIALS ON A
REGULAR BASIS CONCERNING HUMAN RIGHTS ISSUES. WE INTEND TO
CONTINUE TO RAISE GENERAL HUMAN RIGHTS CONCERNS, AS WELL AS
SPECIFIC CASES IN THE FUTURE. CHINESE BEHAVIOR IN SOME AREAS
REMAINS DISAPPOINTING. YET, OUR POLICY HAS ACHIEVED
IMPORTANT POSITIVE RESULTS.

THE REALITIES OF CHINA ARE MORE COMPLEX THAN MANY T.V.
IMAGES WOULD LEAD US BELIEVE. TO BE SURE, CHINA REMAINS
REPRESSIVE, AND THE PROSPECTS FOR POLITICAL REFORM ARE
UNCERTAIN. AT THE SAME TIME, MARKET-ORIENTED ECONOMIC REFORM
CONTINUES APACE. OVER TIME IT CANNOT BUT HAVE A POSITIVE
IMPACT ON CHINESE POLITICAL LIFE. THE QUESTION IS WHETHER WE
HAVE THE PATIENCE AND POLITICAL WILL TO REMAIN ENGAGED WITH
CHINA AS IT PURSUES ITS MODERNIZATION. THE ALTERNATIVE IS
RENEWED SINO-AMERICAN CONFRONTATION THAT IS NOT IN AMERICAN
OR CHINESE INTERESTS.

KOREAN CHALLENGE

THE OTHER MAJOR CHALLENGE IS DEFUSING THE SITUATION ON
THE KOREAN PENINSULA. WE BELIEVE WE ARE MAKING PROGRESS
TOWARDS ENDING THE THREAT OF NUCLEAR PROLIFERATION.

THE LONGER RANGE PROBLEM IS TO REDUCE TENSIONS, ARMAMENTS,
AND TO ENSURE A PEACEFUL TRANSITION TOWARDS DETENTE AND
EVENTUAL REUNIFICATION ON TERMS ACCEPTABLE TO THE KOREAN
PEOPLE. AND AS WE MEET THE NUCLEAR CHALLENGE, WE WILL
POSITION OURSELVES TO ADDRESS THESE PROBLEMS.

IN MANAGING THE NUCLEAR ISSUE OVER THE PAST TWO YEARS, WE
HAVE IN THE PROCESS SEEN AN IMPRESSIVE PATTERN OF
CONSULTATION TAKE SHAPE: BILATERALLY, OUR CLOSE COORDINATION
WITH OUR ROK ALLIES HAS BEEN AT THE CORE OF OUR EFFORTS. AND
AS OUR PURSUIT OF COMMON GOALS HAVE PROGRESSED, THIS ENDEAVOR
HAS HELPED MOVE US TOWARDS THE MORE RECIPROCAL POLITICAL,
DEFENSE, AND ECONOMIC PARTNERSHIP WE ARE TRYING TO FORGE.

TOGETHER WITH CHINA, WE HAVE DEVELOPED A TRILATERAL
PATTERN OF COORDINATION WITH JAPAN AND THE ROK THAT HAS BEEN
INSTRUMENTAL IN PRESSING NORTH KOREA TO BE INCREASINGLY
RESPONSIVE. AND THIS TRILATERAL COORDINATION HAS BEEN KEY TO
FORGING A BROADER CONSENSUS ON THE NUCLEAR ISSUE -- WITH
CHINA, RUSSIA AND IN THE INTERNATIONAL COMMUNITY.

THUS FAR, NORTH KOREA HAS SHOWN COOPERATION WITH THE IAEA
IN ITS SAFEGUARDS IMPLEMENTATION. VERIFICATION OF PAST
REACTOR PLUTONIUM PRODUCTION, HOWEVER, IS VERY DIFFICULT. IT
WILL BE SOME TIME BEFORE IAEA HAS A DEFINITIVE PICTURE OF THE
NORTH'S DECLARED PROGRAM, AND WILL REQUIRE FULL COOPERATION
FROM NORTH KOREA.

0073

ALTHOUGH THE TWO KOREAS' JOINT DECLARATION FOR A
NON-NUCLEAR KOREAN PENINSULA PROHIBITS REPROCESSING, NORTH
KOREA HAS NOT YET AGREED TO END REPROCESSING-RELATED
CONSTRUCTION.

THE KOREAS HAVE MADE ONLY MODEST PROGRESS TOWARD
AGREEMENT ON A CREDIBLE, BILATERAL NUCLEAR INSPECTION
REGIME. IN OUR VIEW, A CREDIBLE BILATERAL NUCLEAR INSPECTION
REGIME IS AN ESSENTIAL COMPLEMENT TO IAEA INSPECTIONS AIMED
AT VERIFYING THE NORTH'S COMPLIANCE WITH ITS NUCLEAR
COMMITMENTS.

INDEED, PYONGYANG NOW HAS A GOLDEN OPPORTUNITY TO DISPEL
SUSPICIONS, TO ADVANCE THE NORTH-SOUTH RECONCILIATION
PROCESS, AND TO ACCELERATE AN OPENING TO THE OUTSIDE WORLD.
WHEN OUR CONCERNS ABOUT PYONGYANG'S NUCLEAR PROGRAM ARE
ADEQUATELY ADDRESSED — AS IAEA AND BILATERAL INSPECTION
REGIMES ARE IMPLEMENTED — WE ARE PREPARED TO BEGIN A
REGULAR, POLICY-LEVEL DIALOGUE AND MOVE TOWARD MORE NORMAL
RELATIONS. WE ARE CONFIDENT OTHER COUNTRIES WILL RESPOND IN
SIMILAR FASHION.

WHEN NORTH KOREA'S BEHAVIOR COMPORTS WITH INTERNATIONAL
NORMS, IT WILL BE TREATED ACCORDINGLY BY THE INTERNATIONAL
COMMUNITY — PYONGYANG WILL FIND NEW POSSIBILITIES FOR TRADE
AND INVESTMENT WITH OTHER COUNTRIES OPENING UP. SUCH ECONOMIC
ENGAGEMENT OFFERS THE BEST ASSURANCE OF SECURITY AND PROSPERITY

0074

FOR THE PEOPLE OF NORTH KOREA. BUT PYONGYANG MUST UNDERSTAND
THAT COOPERATION IS A TWO-WAY STREET.

REGIONAL ARCHITECTURE

CONTINUED TENSIONS ON THE KOREAN PENINSULA HIGHLIGHT THE
IMPORTANCE OF OUR BILATERAL SECURITY ALLIANCES WITH THE
REPUBLIC OF KOREA AND JAPAN IN MAINTAINING STABILITY. BUT
NEW PATTERNS OF POLITICAL AND ECONOMIC RELATIONS IN THE
REGION REQUIRE A MORE COMPREHENSIVE VIEW OF SECURITY AND MORE
COOPERATIVE MEANS TO MANAGE CHALLENGES.

PRESIDENT ROH TAE WOO HAS SUGGESTED THAT THE TIME IS
COMING FOR A NORTHEAST ASIA FORUM. AS THE NORTH-SOUTH
DIALOGUE PROGRESSES, SUCH A FRAMEWORK FOR CONSULTATION
BETWEEN THE TWO KOREAS AND THE FOUR MAJOR POWERS IS SOMETHING
THAT WE WANT TO CAREFULLY AND VIGOROUSLY EXPLORE. WHILE
STRESSING THAT THE PRIMARY MEANS OF RESOLVING THE PROBLEMS ON
THE PENINSULA IS NORTH-SOUTH DIALOGUE, SUCH A SUB-REGIONAL
DIALOGUE COULD PROVIDE ADDITIONAL LAYERS OF CONFIDENCE AND
FACILITATE KOREAN REUNIFICATION. ONE CAN ENVISION SUCH A
FORUM ENCOMPASSING ISSUES FROM MILITARY TRANSPARENCY TO NE
ASIAN ENVIRONMENTAL CONCERNS AND INFRASTRUCTURE DEVELOPMENT
AS WELL AS THE EXTERNAL IMPLICATIONS OF THE RECONCILIATION
PROCESS DETERMINED BY THE TWO KOREAS.

0075

SUCH A FORUM WOULD COMPLEMENT SIMILAR DIALOGUE EFFORTS
UNDERWAY IN SOUTHEAST ASIA AS AN ELEMENT IN THE EMERGING
ARCHITECTURE OF THE ASIA-PACIFIC COMMUNITY. BUT THE
CENTERPIECE OF THIS EMERGING COMMUNITY IS THE ASIA-PACIFIC
ECONOMIC COOPERATION ORGANIZATION, APEC. LAST SEPTEMBER IN
BANGKOK, THE FIFTEEN ECONOMIES OF APEC — WHO ACCOUNT FOR $10
TRILLION, NEARLY ONE-HALF THE WORLD'S GNP — TRANSFORMED APEC
FROM A TRANS-PACIFIC FORUM INTO A NEW INTERNATIONAL
ORGANIZATION.

WE SEE APEC AS AN IMPORTANT MECHANISM FOR SUSTAINING
MARKET-ORIENTED GROWTH, FOR ADVANCING REGIONAL AND GLOBAL
TRADE LIBERALIZATION, AND MEETING OTHER NEW CHALLENGES OF
INTERDEPENDENCE. THESE ARE MUTUAL INTERESTS AND A POSITIVE
SUM GAME IN WHICH ALL APEC MEMBERS CAN BENEFIT. HOW WE
ACHIEVE THESE GOALS WILL SHAPE THE FUTURE ASIA-PACIFIC
LANDSCAPE.

LET ME DRAW ON AN ANALOGY FROM OUR OWN EXPERIENCE TO
ILLUSTRATE APEC'S POTENTIAL: MUCH AS THE LOCATION OF RAILROAD
AND TELEGRAPH LINES SHAPED THE DEVELOPMENT OF THE CONTINENTAL
U.S. IN THE 19TH CENTURY, APEC THROUGH ITS WORK ON TRANSPORT,
TELECOMMUNICATIONS, STANDARDS AND THE LIKE CAN SHAPE THE
PACIFIC BASIN IN THE 21ST CENTURY.

BUT GOVERNMENT CAN ONLY OPEN THE DOOR: IT IS THE PRIVATE
SECTOR THAT MUST MARCH THROUGH IT FOR APEC TO ACHIEVE RESULTS.

0076

AND WE ARE COMMITTED TO WORKING CLOSELY WITH THE PRIVATE
SECTOR TO REALIZE NEW OPPORTUNITIES.

THE ACTIVE INVOLVEMENT OF THE U.S. PRIVATE SECTOR,
PARTICULARLY IN KEY GROWTH AREAS WHERE U.S. FIRMS ARE HIGHLY
COMPETITIVE -- SECTORS SUCH AS TELECOMMUNICATIONS
INFRASTRUCTURE, AND ENERGY -- IS CRITICAL TO ASIA-PACIFIC
INTEGRATION AND TO SUSTAINING U.S. ENGAGEMENT IN THE REGION
OVER THE LONGER TERM.

THIS COMING YEAR, WE HOLD THE CHAIR OF APEC, AND WE ARE
PLACING A HEAVY STRESS ON REGIONAL TRADE LIBERALIZATION.
APEC HAS BEEN AN IMPORTANT VOICE IN SUPPORT OF THE URUGUAY
ROUND, AND EFFORTS TO OPEN UP MARKETS ACROSS THE PACIFIC CAN
HELP UNDERPIN A GLOBAL OPEN TRADING SYSTEM, AND PERHAPS EVEN
GO BEYOND THE BENCHMARKS A NEW MULTILATERAL TRADE AGREEMENT
WILL ESTABLISH.

I KNOW THERE IS NO DEARTH OF SPECULATION ABOUT THE WORLD
FRAGMENTING INTO REGIONAL TRADE BLOCS. I THINK THE TREND
TOWARDS GLOBAL ECONOMIC INTEGRATION AND THE LOGIC OF A
WORLD-WIDE SYSTEM OF OPEN TRADE MAKES THE SORT OF IDEAS I
HAVE PRESENTED THE MORE LIKELY SCENARIOS.

0077

CONCLUSION

LET ME CONCLUDE BY SAYING I HAVE TRIED TO OUTLINE THE
CHANGES UNFOLDING IN NORTHEAST ASIA; HOW THIS SUB-REGION FITS
INTO AN ASIA-PACIFIC POST-COLD WAR FRAMEWORK; AND HOW OUR
POLICIES ARE EVOLVING IN THIS NEW ECONOMIC AND POLITICAL
ENVIRONMENT.

I SEE SEVERAL CHALLENGES AHEAD: FIRST, CREATING AN OPEN
SYSTEM OF TRADE AND INVESTMENT, ONE THAT WILL ENSURE
SUSTAINED, MARKET-ORIENTED GROWTH AND AN ENVIRONMENT WHERE
ASIA-PACIFIC INTEGRATION CAN FLOURISH.

SECOND, RESOLUTION OF THE LINGERING PROBLEMS OF THE PAST
-- MOST NOTABLY MOVING FROM CONFRONTATION TO RECONCILIATION
ON THE KOREAN PENINSULA AND A LINGERING POLITICAL PSYCHOLOGY
OF DISTRUST AMONGST THE MAJOR PLAYERS IN NORTHEAST ASIA.

THIRD, STRENGTHENING OUR BILATERAL RELATIONS AND
COMPLEMENTING THEM WITH MULTILATERAL MECHANISMS DESIGNED TO
BUILD TRUST AND CONFIDENCE AND A STRUCTURE OF PEACE.

I'LL BE GLAD TO TAKE YOUR QUESTIONS.

0078

관리
번호 92-052

12 / 13

報告畢

長官報告事項

1992. 12. 10.
美洲局
北美 1課(130)

題目 : Clark 차관보 연설

92.12.3-4. A.S. 휴스턴 지부 및 Mid-America Committee (시카고 소재)에서
행한 Clark 국무부 동아·태 차관보의 연설 요지를 아래와 같이 보고드립니다.
* 동아·태 차관보 취임후 최초의 정책 연설

1. 요 지

예고문에 의거 재분류(19
직위   성명

【 아·태 지역 정세 】

ㅇ 아·태 지역은 냉전시대의 잔재와 탈냉전 시대의 변화가 병존하는 지역으로
    규정
    - 미국과 동반자로서의 러시아의 역할 가능성

ㅇ 아·태 지역의 경제적 중요성과 미국의 경제 활력 회복을 위한 동 지역과의
    경제적 연계의 중요성 강조
    - 홍콩, 대만, 중국 남부, 한국, 일본등 상호 교역 및 투자에 의한 "성장
      집합체 (Growth Cluster)" 형성에 주목

【 미·일 관계 】

ㅇ 경제 분야뿐 아니라 정치·안보 분야에 있어 동반자로서 일본의 역할 기대
    - 미·일 통상문제에 있어 일본의 보다 적극적 대미 통상적자 해소 노력 촉구

0079

【 미·중 관계 】

o 현 행정부의 중국에 대한 적극적 관여 정책은 중국의 중요성을 감안한 현실적
  방안임을 강조 (행정부와 의회간의 협의 결과에 따른 정책)
  - 인권 문제를 제외한 대부분의 중국 관련 현안 해결에 기여

o 중국이 한국, 특히 북한핵문제 해결 노력 및 캄보디아 사태 해결에 있어
  협조한 사실을 중시

【 대한반도 정책 】

o 북한핵문제 해결에 있어 한·미간의 정책협의 및 한·미·일간의 3자 협력의
  성과 부각
  - 한·미·일의 3자 협력을 러시아 및 중국의 추가적 협조를 얻는데 큰 역할

o 효과적이고 신뢰할 수 있는 남·북 상호사찰 제도는 IAEA 사찰을 보완하는
  필수적 제도임을 강조

【 동북아 다자 대화 】

o 노대통령의 동북아 다자대화 제의는 동북아 지역에 있어 새로운 관계 발전과
  도전에 대한 대처 필요성을 감안한 제의로 평가
  - 남·북한 및 주변 4대국의 협의 체제를 신중하나 적극적으로 추진 검토
    회망

o 동북아 다자 대화에서는 남·북한 화해과정의 대외적 측면과 역내의 군사적
  투명성, 환경문제 및 경제 하부구조 개발 문제등도 협의할 수 있음.
  - 남·북 문제는 남·북 당사자간의 해결 원칙 견지
  - 단, 동북아 다자 대화는 남·북 당사자간의 협의 결과에 대한 신뢰성
    증대 역할 및 한반도 통일을 촉진시키는 기능 가능

0080

【 APEC 의 발전 】

　　o　APEC이 아·태 지역 협력 증진뿐만 아니라 시장 개방화를 위한 중심적 기구로
　　　　발전 필요
　　　　-　역내의 지속적 경제성장을 가능케 하는 기능 수행

　　o　19세기 철도 및 통신망 구축이 미국의 발전을 가능케 했듯이 APEC 이 추진
　　　　하는 교통, 통신 및 표준 (Standards) 관련 협력사업은 21세기 아·태
　　　　지역의 번영을 가져올 것으로 기대

2. 평　가

　　o　북한 핵문제등 한반도 관련 주요 관심사에 있어 기본입장 재표명

　　o　동북아 다자 안보 대화체 논의를 위한 미측 회망을 명시적으로 표명
　　　　-　역내의 새로운 정치·경제·안보 구조에 대한 포괄적 구상 제시
　　　　　　·　동북아 다자 대화, APEC, 동남아 지역 협력등

　　o　최근 클린턴 진영의 대중국 강경 정책에서 현실적 정책으로 선회 가능성
　　　　암시와 관련, 이를 측면 고무
　　　　-　부쉬 행정부의 현실적 대중국 정책 성과 강조

- 끝 -

0081

長 官 報 告 事 項

1992. 12. 10.
美 洲 局
北 美 1 課 (129)

題目 : 진보정책연구소(PPI)의 정책건의(외교분야)

12.7 PPI 발간 신행정부에 대한 정책건의서 "Mandate for Change" 중 Will

Marshall이 작성한 외교분야 건의 요지를 아래와 같이 보고드립니다.

* Will Marshall은 신행정부의 NSC 업무인계반의 책임자임.

1. 신행정부의 대외정책 환경

　o 국제관계에 있어 경제 중요성 부각

　　- 국제관계에 있어 군사력의 중요성이 감소하는 반면, 경제력을 중심으로한

　　세력 등장(북미, 구주 및 태평양 연안이 3대 중심세력으로 등장)

　　- 미국 대외정책의 최우선 과제는 미국 경제의 활력을 되찾는 것임.

　o 탈냉전시대의 세계에서도 위험 및 불안요인 상존

　　- 유고.소말리아 사태등 민족 분규, 내전등 위험요소 상존

　　- 미국은 지엽적 분규가 확산되거나, 미국의 이익에 위협을 줄 수 없도록

　　강력한 군사력 유지 필요

　　　* Colin Powell 합참의장은 Foreign Affairs 92 겨울호 기고에서,

　　　미국이 개입될 지역분쟁의 대표적 지역으로 걸프지역과 한반도를 지적.

　o 사상 및 정보의 역동적 역할 부각

　　- 소련의 해체 및 중국의 천안문 사태가 중요한 예

　　- 개인적 자유, 민주적 자본주의, 정의등 미국의 정신과 문화는 중요한 역할

　o 미국의 안보 및 번영에 대한 위험으로 세계적 문제의 대두

　　- 환경오염, 초국가적 자원분규, 불법이민 및 마약거래등에 있어 국제적

　　협조 필요

0082

2. 신행정부의 대외정책 기저

o 새로운 국제환경은 기존의 세력균형 또는 경제적 민족주의보다는 민주주의에
  입각한 지도력을 요구
  - 기존의 세력균형 정책은 미국의 가치를 훼손시켰으며, 경제적 민족주의는
    우방국과 무역 전쟁 유발

o 미국 경제의 활력회복, 군사력과 주도적 지위 유지 및 민주주의 확산이
  미국 대외정책의 기저를 이루며, 이는 상호 연관된 것으로 동시에 추구 가능
  - 민주주의 중시의 대외정책이 미국 대외전략의 근간

o 민주주의 중시의 대외 전략은 미국 경제력의 뒷받침과, 일본 및 구주지역
  우방과의 동반자관계를 강화하는 것을 필요로 함.
  - 국내 경제력 회복을 위한 강력한 통상정책과 국내제도 개혁 필요

o 민주주의 중시의 대외정책은 미국 경제력의 한계와 각국의 민주화 정도등을
  고려한 현실적 조정이 필요
  - 비민주국가와 건설적 외교관계를 사전 배제해서는 안됨.
  - 특히, 민주주의 지원 정책은 그 효과가 가장 큰 국가에 대해 우선적
    시행이 필요

3. 신행정부의 주요정책 목표

o 새로운 안보정책의 중심으로 통상 외교를 추진
  - NSC에 경제 안보담당 부보좌관직 신설
  - 미 경제 이익신장에 기여한 국무부 관리를 중용하는 국무장관 인선

o 러시아의 민주화 지원
  - 러시아의 시장경제 및 민주화로의 전환에 적극 지원
  - 핵무기 해체 및 군수산업의 민주화 전환에 대한 미국의 원조 증대

0083

o 중국의 정치.경제적 변화 고무를 위한 통상정책 및 기타 수단(leverage)
  강구
  - 무기관련 기술수출 및 티벳 인권 상황등에 개선이 없을 경우, 무역 또는
    외교적 제재 조치를 취할 준비 필요
  - 중국, 북한, 월남, 미얀마등 아시아내 폐쇄 사회국가 개방을 위한 VOA
    활동 강화 또는 「자유 아시아 방송」 설립 필요

o 국제적 민주화 확산을 위한 미국의 지원 확대
  - 민주주의를 위한 재단(National Endowment for Democracy)에 대한
    재정적 지원 증대
  - 각국의 공정선거, 자유노조, 언론독립 및 사법권 독립을 위한 원조 강화

o 미국의 대외원조 정비
  - 각 부처의 대외지원 업무를 총괄 조정할 수 있도록 AID 기능 조정
  - 각국별 원조형태에서 주요 분야별로 원조하는 방식으로 전환 필요

o 냉전적 군사조직을 지역분쟁에 신속히 대응하는 유연하고 기동력있는 군사
  조직으로 개편
  - 군사력의 질적 개선 및 병력감축 추진
  - 예비군의 역할 증대
  - 미사일 방어체제 강화

o 군의 역할과 임무에 대한 근본적 재평가 추진
  - 기존 군조직의 개편을 통한 중복업무 감축 및 비관료화 추진
  - 군간의 업무 협조 원활화 증대

o 정보조직의 재정비
  - 정보조직은 군사기술 및 대량 살상무기 확산 관련정보와 타국의 내부
    정세에 대한 정보를 중점 수집
  - 정보조직을 관장하고, 정보보고를 조정할 수 있는 중립적 국가정보
    책임자직 신설

0084

o 「전쟁수행 권한 결의안」 개정

  - 의회내 상설 "전쟁권한 위원회"를 설치함으로써, 대통령 및 안보
    보좌관과의 정기적 협의체제 구축

o 집단 안보체제 강화

  - 대량 살상무기 확산방지를 위한 IAEA 및 기타 국제조직에 대한 지원 증대

  - UN 신속 배치군을 통한 예방외교 지원

  - ASEAN 및 OAS등 지역협력 기구 강화

4. 아국관련 사항

o 태평양 연안국과의 경제협력 관계 중시

o 러시아의 민주화.시장경제로의 전환을 위한 국제 협조 대상국으로 G-7
  국가와 함께 한국, 대만등 태평양 연안 국가 언급

o 북한은 이란, 이락, 리비아 및 알제리아와 함께 핵무기 개발을 추진하는
  안보위협국으로 인정

o 미사일 확산를 주요한 안보위협으로 인식하고, MTCR등 미사일 확산 방지
  체제 중요성 언급

o 북한을 포함한 아시아내 폐쇄국가를 대상으로한 새로운 정보 확산 방송망
  신설 강조

- 끝 -

0085

공   란

공   란

공   란

공 란

【 첨   부 】

스미스 의원의 방북 결과 언론 발표문 요지

1992.12.22.
워싱톤 D.C.

(방문국 및 방문 목적)

o 스미스 의원은 미군 포로 및 실종자 실태 조사차 8일간 북한 및 월남을
  방문하였음.

(북한 방문 의의)

o 금번 북한 방문은 미 정부의 인사가 미군 포로 및 실종자 문제를 규명한다는
  인도적 목적으로 북한을 방문한 최초의 사례로 역사적임.
  - 북측과 최초로 실질적이고 솔직한 의견교환을 가짐.
  - 국무부 실무 직원의 수행등 국무부의 협조에 사의 표명

o 금번 방북시 강석주 외교부부장과 양형섭 최고 인민회의 의장을 면담하고,
  미군 포로 및 실종자 문제 관련 단체의 김일성앞 서한을 전달하였음.

(북한 방문 성과)

o 민족해방(전쟁) 박물관 시찰
  - 미국인으로는 최초 시찰
  - 북측, 미군 포로 실종자 관련 기록 및 물품을 추가로 수집하겠다고 약속

o 중국내 미군 포로 수용
  - 미군 포로들이 북한 및 만주지역 소재 중국군 포로 수용소에 수용된
    사실 확인
  - 향후 중국측과의 접촉 필요성 대두

o 소련의 한국전 미군 포로 관련 활동
  - 일부 미군 포로가 소련으로 이송된 사실 확인 (미측, 포로문제에 관한
    미.러 공동위원회시 러측에 동 사실 전달)

o 미군유해 송환
  - 북측, 북한내 미군유해를 계속 발굴.송환하겠다는 입장 재천명
  - 조만간 판문점에서 실무 차원의 대화 노력이 공식화될 것으로 기대

- 끝 -

0090

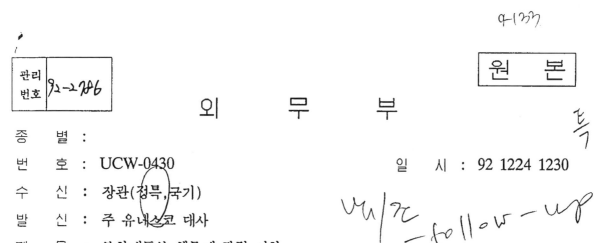

관리
번호 92-286

원 본

외 무 부

종 별 :

번 호 : UCW-0430

일 시 : 92 1224 1230

수 신 : 장관(정특, 국기)

발 신 : 주 유네스코 대사

제 목 : 북한대표부 핵문제 관련 서한

배부 follow-up

1. 유네스코 사무국은 남북한이 비핵화 공동 선언을 채택, 그 시행 방안을 협의중에 있음에도 한국이 북한에 대해 핵사찰 정치 공세를 취하면서 암암리에 핵무기를 개발하고 있다는 내용의 MAYOR 사무총장앞 서한을 12.21 접수 하였음.

2. 동서한은 92.12.9 " THE JAPAN MISSION OF THE NATIONAL DEMOCRATIC FRONT OF SOUTH KOREA AUTHORIZED BY THE CENTRAL COMMITTEE OF THE NATIONAL DEMOCRATIC FRONT SOUTH KOREA " 라는 단체가 동경에서 "OPEN LETTER ON NUCLEAR ARMS DEVELOPMENT IN SOUTH KOREA "를 첨부하여 송부한 것으로 OPEN LETTER 는 서울 소재 CENTRAL COMMITTEE, NATIONAL DEMOCRATIC FRONT OF SOUTH KOREA"가 92.11.16 발표한 것으로 되어 있음.

3. 동 첨부물 OPEN LETTER 는, 핵무기 개발은 한국의 역대 정권의 중요 정책이라고 하면서 한국내 핵기술자 현황(15,000 명이라고 주장), 대덕 핵개발 단지 등을 소개하고 한국의 핵무기 생산은 현재 시행 단계에 있다고 주장함.

4. 당대표부는 각국 상주 대표부에도 동서한이 배포되었는지 확인중에 있음.

5. 동서한 사본 파편 송부함. 끝.

(대사 박상식-실장)

예고: 92.12.31. 일반

외정실	장관	차관	1차보	국기국	분석관	청와대	안기부

PAGE 1

92.12.24   21:48

외신 2과 통제관 DI

0091

공   란

공   란

공   란

공   란

외교문서 비밀해제: 북한 핵 문제 4
북한 핵 문제 총괄 4

초판인쇄 2024년 03월 15일
초판발행 2024년 03월 15일

지은이 한국학술정보(주)
펴낸이 채종준
펴낸곳 한국학술정보(주)
주 소 경기도 파주시 회동길 230(문발동)
전 화 031-908-3181(대표)
팩 스 031-908-3189
홈페이지 http://ebook.kstudy.com
E-mail 출판사업부 publish@kstudy.com
등 록 제일산-115호(2000. 6. 19)

ISBN 979-11-7217-077-6 94340
       979-11-7217-073-8 94340 (set)